文春文庫

時　の　罠

辻村深月・万城目学
湊かなえ・米澤穂信

時の罠／目次

時の罠

タイムカプセルの八年

辻村深月

1

いってきます、という声とともに廊下を横切った幸臣《ゆきおみ》が全身紺色に見え、おや、と首を傾《かし》げてすぐに、あ、そうか、と気づく。スーツ姿なのだ。

向かいの台所から、温子《あつこ》が「いってらっしゃい」と声をかけながら出てくる。

私も読んでいた新聞を畳み、居間のこたつから腰を上げて廊下に出る。玄関に顔を向けると、身を屈めて革靴を履く息子に向け、温子が靴べらを差し出していた。スーツの背中を丸めていた幸臣が、微かに顔を上げて「大丈夫」と母親に応えるのは、言葉通りの意味ではなく、おそらく靴べらの使い方がろくにわからないからだろう。立ち上がってもまだ、つま先をぎこちなく、とんとんと三和土《たたき》につけている。

就職に必要な試験や面接の類はすべて終わったと言っていたのに、一体なんだろうと思って見ていると、温子が「先生たちによろしくね」と言いながら、沢渡屋《さわたり》の菓子袋を手渡す。

「これ、お仲間入りにって、若い女の先生に渡してね。そしたらたぶん、全員に配ってくれるだろうから」

心配しすぎなんじゃないか、そこまで世話を焼かれる幸臣はマザコンなのではないか、それより何より、今は職場の女子職員のお茶汲みだって目くじらを立てられるご時世なんだから迂闊《うかつ》にそんなことを言ってよいものか（うちの大学の研究室だって、もう助手でもない女子院生にはコピー一つ気軽に頼める雰囲気はない）と、抗議の声をあげようか迷ったが、幸臣が素直に「うん」と頷《うなず》くのを聞いて、変にこましゃくれたことを言うよりはマシか、と黙っておいた。

菓子の袋を受け取った幸臣が母親に向き直り、その時ついでに、私とも目が合った。持て余すように一瞬視線をそらしかけ、けれどそそくさとまた目を合わせて「あ、いってきます」と言う。緊張に、頬がいつもより引き締まって見えた。

「あ、いってらっしゃい」と、こちらも答えてしまってから、「あ」って何だよ、と思ったが、幸臣はそのまま出て行った。「気をつけていくのよ」と外にまで見送りにいった温子に続くタイミングを逸して、そのままぼんやり、就職に際して半額出してやった中古車が出て行くエンジン音を聞く。しばらくして、温子が戻ってきた。

「今日、あいつ初出勤だったのか」

言うと、温子は呆れたように顔をしかめた後で「相変わらずね、お父さん」とため息をついた。

「今日からもう四月でしょう」

「小学校は、だってまだ春休みだろ。十日くらいまでは暇なんじゃないのか」

「子供が登校して来なくたって、先生たちは毎日仕事もあるし、忙しいんですよ」

「ほお」

「ほら、お父さんも今日は出かけるって言ってなかった？　早く支度して、朝ご飯も食べちゃってくださいな」

「出かけるのは夜からだ」

「そう？　どうでもいいけど、ご飯は早く食べて」

ぶつぶつと洩らされる文句の声を受けてダイニングに向かうと、日課である朝の散歩をこなし、居間で朝刊か本を一通り読んでから食べる、私の分の朝食だけが食卓に残されていた。昔は朝食を取りながら読書や朝刊チェックもしていたのだが、一度、小学生だった幸臣がテーブルにぶつかった際、割と高かった本を味噌汁でどろどろにされてから、もう二度とダイニングに本や新聞を持ち込むまいと決めた。

「そうそう。幸臣の赴任する学校、比留間《ひるま》先生がいるんですって。特に希望を出したってわけじゃなくてたまたまらしいけど、すごい偶然だって喜んでた」

「ほお」

思わず声が出た。けれど、気のない返事をしたと思われたのか、味噌汁をよそっていた温子が「比留間先生。あの子の、六年生の時の担任の」と補足する。

「覚えてる？　あの先生に憧れて教師になるって言ってたのに、まさか、最初の赴任先で一緒になるなんて。何かとあの先生には縁があったのね」

「ほお」

受け取った味噌汁の椀から上がる湯気に、メガネのレンズが白く曇った。

比留間は確か、幸臣の担任だった頃で三十半ばだったはずだ。「もう教頭かなんかなのか？」と聞く私に、温子が「学年主任とかって言ってたけど、まだみたいよ」と答える。だとすると昇進試験に落ちているのかもしれないな、と思った私の心中を見透かすように「また、あなたは人の出世やなんだってことばっかり気にして」と文句を言われた。

返事をせず黙々と食事を続ける。ふと目をやると、ダイニングの窓から見える桜の木に目がいった。向かいの公園に植えられた、樹齢何十年という古木だ。

そういえば、幸臣たちが小学校の卒業時にタイムカプセルを埋めたのは、この木によく似た校庭の桜の根元だった。

『二十歳になった僕は、先生になっていますか？』

成人式から帰った午後、晴れ着からラフな普段着に着替えて集まり直し、クラスメートたちと一緒に掘り出したタイムカプセル。十二歳の自分が書いた文章を見て、幸臣は「先生なんてまだなってないって」と苦笑していた。

「あの頃は二十歳ってもう大人だと思ってたんだよな。実際はまだ大学の途中なのに、この頃はほんっとまだ何にもわかってなかった」

手紙は、子供たちだけで掘り出したそうで、保護者も、担任だった比留間の姿もそこにはなかった。比留間には電話したそうだが、都合が悪いと断られたらしい。

〝まだ何にもわかってなかった〟子供の頃に書いた手紙を読んだところで、その日の幸臣たちの心に残せたものがあったかどうかは怪しい。そもそも、タイムカプセルというイベント自体にも意味なんてあるかどうか。

あんな手紙がなくとも、幸臣は同じように今日の初出勤を迎えただろう。

「ごちそうさま」

食事を終えて、ダイニングを出る。約束の飲み会は商店街の居酒屋で六時からだ。それまでは本を読んで過ごそう。何しろ、子供が登校せずとも忙しいという小学校教諭と違って、親族経営の私大の准教授なんて、出世を望まないなら、定年まで穏やかなものだ。学長や上司、同僚や学生との人間関係に頭を悩ませるより、好きな本と研究のことだけに時間を費やす方が性に合っていると、就職してすぐ、華やかなキャリアには見切りをつけた。

接待や飲み会に長らく無縁できた私にとって、所属する定期的な集まりは、ほぼ唯一これだけだ。何故参加する羽目になったのかと面倒に思うこともあるし、今日だってまだ授業も始まらないせっかくの春休みなのだから家でゆっくり過ごしていたいが、まあ仕方ない。

ため息をついてまた外を見ると、桜の木の根元にすずめが二羽、ちょんちょんとステップを踏むように歩いていた。

2

「親父会」というのがある、と聞いて、うへえ、と声が出た。

「めんどくさい」と声を上げると、「なんでそんなにはっきり言うのよ」と温子に睨まれた。幸臣が小学校六年生になった年だ。

「今年は卒業の年だから謝恩会だってあるし、他のお父さんお母さんたちと何かと連携を取らなきゃならないから、父母会っていうのを作るのよ。学校の行事とは別にハロウィンで商店街を仮装行列したり、秋には公園で焚き火して焼き芋を食べたりするイベントもあるんですって」

「そんなの、お前が付き合えばいいだろう」

「最初はどの学年もお母さんたちが中心でやってたらしいんだけど、ここ数年はお父さん同士が仲よくなっちゃって、毎年親父会が恒例なんですって。お父さんがいないご家庭は仕方ないかもしれないけど、うちはそうじゃないんだし、あなた行ってちょうだい」

「学校の行事じゃないんなら、無理して入らなくてもいいんじゃないのか」

「そんなことできるわけないじゃない」

とんでもない、という口調で温子が首を振る。

「親同士の関係ができていてこそ、子供同士で何かトラブルがあった時もすんなりお互い様って空気になるのよ。第一、クラスでうちだけ入らないなんて、幸臣がかわいそうだと思わないの？　どんな変わった親なのかって思われるわよ」

一気に捲《まく》し立てた後で、「まあ、あなたは確かに変わってるけど」と苦々しい表情でまた私を睨む。

変わっていたっていいじゃないか、と喉元まで出かけた言葉を飲み込んで、「そうか」と頷く。納得したわけではなく、これ以上揉めたところで時間の無駄だと判断したからだった。


温子の言う「変わっている」の意味は、薄ぼんやりとだが、わかる。

学者という職業がどうやらそう見られる傾向にあるらしいということが、まず結婚で、子供ができてからはよりいっそう、さまざまな場面で感じられるようになってきた。これまでは、学生時代から周りも研究職の人間ばかりだから気にもならなかった。

温子の実家に結婚の挨拶《あいさつ》に行った時のことだ。その当時でさえ十分さびれて見えた豊町銀座商店街の一角でタバコ屋を営む義父は、娘が連れてきた私を見て目を丸くしていた。

「孝臣《たかおみ》くんは、つまり〝末は博士か大臣か〟の博士ってことかい。大学教授だなんて」

「はあ、日本語学の博士号は持っておりますが。教授になれるかどうかは」

大学に勤務しているというだけで〝教授〟になってしまう大雑把《おおざっぱ》さに戸惑いながら答えると、返答を最後まで聞き終えずに、義母に向けて「すげえな。温子が博士連れてきやがった」と言う。感嘆の声のように洩らしていたが、内心は向こうもかなり当惑していたのだろう。

私のような日本語学の学者に就職の道は険しい。

企業に研究職として就職する道が開かれている理系と違い、博士課程を終えたところで、学歴だけ高くなってしまった私のような者は持て余されるだけだし、大学講師の空きだってそうそうあるものではない。その上、常勤となれば尚更だ。私は故郷も大学も北海道だったが、欠員の募集があると聞けば、九州の大学にだって応募した。今の就職先である静岡は、これでも故郷から一番近い方だった。

温子は、私が勤める大学の情報センターで職員として働いていた。商店をやっている家の一人娘だからといって、父親は「俺が一代で始めた店だしな」と、最初から強く跡を継がせる気もなかったそうだ。とはいえ、「継ぐ気があるって婿《むこ》が来るなら考えるつもりだったが、そうか、博士か」と呟《つぶや》く姿は、言葉とは裏腹に少しばかり寂しそうだった。

「教授になれるかどうかはまだわかりませんが、うちの大学は、国内の私大では講師の収入がいい方の大学です。このまま勤め続けてさえいれば、特に困るということはなく安定して暮らしていけますし、私はこれから取り立てて大学を移ろうという気も特にありません」

婚約者の両親を安心させようと続けた言葉に、温子が横から「ずいぶん明《あ》け透《す》けに内情を話しちゃうんだね」と苦笑していた。

勤務先が大学であるということが、奇異の目をもって迎えられるらしいということは、息子が生まれ、それに伴って学校や他の親との付き合いが増えてからはより露骨になった。

もともと私と幸臣は、仲のいい親子、というわけではなかった。温子に言わせると、私は父親としてかなり「ズレて」いるらしい。

いわく、誕生日や子供の日のようなイベントをきちんと祝わない、運動会や授業参観のような行事をよく忘れる。自分勝手。休みを家族のために使うって発想がない、父親として不真面目。

世の中の私以外の父親はそんなにも子供と家庭のことばかり考えて生きているものなのか？　と真剣に悩んだ。

たとえば、まだ寝ていたい日曜日の朝に、居間や台所がやたら騒がしいから何かと思って寝ぼけ眼で起きていくと、体操着姿の幸臣と、大仰な重箱におにぎりだのからあげだのをあくせくと詰め込む温子に出くわす。「あなた、まだ着替えてないの？」と言われて「一体なんだ」と問い返すと、信じられないという表情で目を剝《む》かれた。

「今日は幸臣の運動会でしょう！　うちの両親だってもうすぐ来るのよ！」

間が悪いことにそのタイミングで玄関のチャイムがピンポンと鳴り、日よけ帽子をかぶって支度した義理の両親が入ってくる。「おい、孝臣くん、その恰好は何だ？」とパジャマ姿に驚かれ、いやあ、あはは。もちろん今から支度するところです、と答える私の横を、幸臣が目も合わさずに「いってきます」と出て行った。

運動会って、父親も行くものなのか？　と素朴な疑問を口にすると、温子から「当たり前でしょう！」と怒鳴られた。

クリスマスもそうだった。

幸臣が小学校一年生の時だ。

十二月二十四日の夜、デパートの地下で買ったという持ち手に銀紙が巻かれた甘く味つけされたチキンと、サンタクロースの乗ったホールケーキを食べ、子供ができると世間並みにクリスマスというのを祝うようになるものだなあと感慨にふけっていた夜、幸臣が寝入ってから温子に「あなた、そろそろ」と呼びかけられた。

夜の営みの誘いと勘違いして、ドギマギしながら「へ？」と顔を見つめ返すと、冷たい目をした温子に「プレゼント」とせっつくように言われた。

「この間、頼んだでしょう？」

「あ」

幸臣の好きなテレビ番組、センタイジャーの変形おもちゃを、そういえば買ってくるようにと、おもちゃ屋のチラシの切り抜きとともに頼まれていた。鞄の内ポケットにしまって、そのままだ。「まさか忘れたの⁉」と張り上げられた温子の声は、寝ている幸臣を起こしてしまうのではないかと思うほど大きかった。

「信じられない！　あれほど忘れないでって言ったじゃない。人気商品らしくて、クリスマスの頃には品薄になっちゃうだろうから早めに買っておいてって。だいたい私、おととい、確認したわよね？　買ってきてくれた？　って」

「ああ、まあ」

確かに聞かれた。だけど、私はその時も本を読んでいて、どうせ後で買えばいいと生返事をしたような気がする。どうするのどうするの、と私を責める温子の声が早口になっていく。

「どうするの？　もうお店はデパートだって全部閉まってるし、開いてたってあるかどうか」

「幸臣はそれじゃなきゃダメなのか」

「今年はサンタさんに何が欲しい？って、随分前に、怪しまれないように苦労しながら、沢渡さんの奥さんと一緒に子供たちから聞き出したのよ。苦労して」

苦労苦労、と同じ言葉をくり返す。

「あそこの剛《ごう》くんだって、同じセンタイフォンがいいって二人で話してたのに、剛くんがもらえるのに幸臣の分がないなんてこと――」

「その〝センタイフォン〟っていうのは、おもちゃの名前か？」

「買ってくる時に教えたはずでしょう！　チラシにだって書いてあったのに」

「ネットで買えば――」

「いつ届くと思ってるの！　サンタが来るのは今日なのよ」

「在庫さえあれば、翌日には――」

「今夜じゃなきゃ意味がないのよ」

「じゃあ聞くが、一体いつからうちはそういうことになったんだ。サンタクロースがいるなんていうのは嘘じゃないか。子供に嘘を教えるなんて私は反対だ」

自分自身が子供だった頃から、おかしな風習だと思っていた。私の両親も寝ている私の枕元に本だのテレビゲームだの地球儀だのを置いていた。自分自身がいつまで信じていたか、いつその不在に気づいたのかは覚えていないが、あんなこと、別にやらなくたってよかったのに。

我が家でサンタをどうするかは、特に意見もしなかったら、知らないうちに温子がさっさとやることに決めてしまっていた。「今年から本当のことを話してやめればいいだろう」と言うと、また激しく睨まれた。

「周りがみんな信じてるのに、幸臣だけが『いない』なんて言い出したら、話が合わなくていじめられるかもしれないじゃない。ダメよ」

「じゃあ何か、うちはうちで教育方針があったとしても周りに合わせなきゃならないってことなのか?」

「そうよ!」

温子がこれまでで一番大きく声を上げた。

「だいたい、これまで主張らしい主張もろくにしてこなかったくせに、何がいまさら教育方針よ。聞いて呆れるわ」

十二月の寒空の下を、追い出されるように家を出て、もうシャッターが降りた商店街のおもちゃ屋と、明かりの消えたデパートの前をはしごした後、プレゼント用にコンビニでシャーペンとノートを買って帰った私に、温子は盛大にため息をついた後、「せめてキャラクターがプリントされたチョコレートとかお菓子を買うって発想はなかったの」と呟いてみせた。

ラッピングもされていないなんて、とぶつぶつ言いながら、何かでもらった風呂敷にシャーペンとノートを包み、上を蝶々結びにする。

翌朝、目が覚めた幸臣が泣きながら居間に飛び込んできて「センタイフォンじゃない！」と私たちに訴えた。「サンタさん、間違えてる」と大声で喚き散らし、温子が宥《なだ》める甲斐もなく、脱水状態に陥るのではないかと心配するほどに、涙を流し続けた。

テーブルの上に置かれ、表紙が涙に濡れたノートと乱れた風呂敷を見つめながら、だからサンタなんてなしにすればよかったのだ、と思った。幸臣がどうにか機嫌を直し、友達と外に遊びに行ったのを見送ってから「やれやれ」と安堵《あんど》の息を洩らすと「誰のせいだと思ってるの」と不機嫌そうな温子に言われた。

「年末休みには、せめて、幸臣を遊園地にでも連れて行きましょうよ」とたいしたことではないように言われ、「年末なんて混むじゃないか！」と思わず声を上げてしまったのがいけなかったらしく、そこからまた一方的に怒鳴られた。

帰ってきた幸臣が「剛くんは、きちんとサンタさんからセンタイフォンもらってた」

と言うのを聞いて、あ、やっぱり気にしてたのか、とこの時ばかりはさすがに少し反省したが、大事な年末休みを混みまくる遊園地で過ごしてもよいと思えるかどうかは、それとはまた全然別の話だ。遊園地に行く、と一口に言っても、現地に着くまでと家に帰るまでの行程も遊園地の日程には含まれている。道だって渋滞しているかもしれないのに、どれだけの時間がかかるか。

大学が冬休みに入り、講義もなくなるこの大事な時期は、一日だって無駄にしたくない。家の書斎でぬくぬくと窓の外の寒空を眺めながら好きなだけ読書する楽しみを奪われてなるものかと、私は、今度こそ必死になって、ほとんどの店で品切れになっているというセンタイフォンを探し歩いたが見つからず、ネットでもとうに売り切れ、再入荷の予定もないということで、結局、温子と幸臣を遊園地に連れて行く羽目になった。

一時間半待ちのコースターに並び、はしゃぐ幸臣を見ながら、温子が「こうやって親と出かけてくれるのも今のうちだけよ」と言うのを聞き、ならば早く友達と出かけることの方が楽しい年代になってくれないものだろうかと期待する。

親になるということは、こんなにも周りに合わせること、自分の時間が削られることなのか。何をするにも最優先は子供。父親に自由な時間はなくなる。親だって人間なのに、そんな理不尽が許されるものなのか、と嘆きたくなる。

幸臣は正月になってもまだ、ぐずぐずとセンタイフォンに対する未練を口にしていたが、二ヵ月もしないうちに、アタックブレスという名の別のおもちゃを欲しがり始めた。聞けば、一月末にセンタイジャーが終了し、新しいものが始まったのだという。

「買ってもどうせ飽きたんだろうから、買わなくて本当によかったな」

安堵して言うと、温子はもう私を無視して返事もしなかった。

3

〝親父会〟の初日は、五月のGW明けに行われた。

渋る私に前の日から「明日よ、忘れないで」とくり返し声をかけてきた温子には悪いがサボって書店で時間でも潰そうかと内心で考えながら、一応の義理を果たすように、とりあえず小学校の門の前まで行く。

太陽の光を白く照り返す校庭の向こうに建つ校舎が、ひどく遠くに感じられた。親父会開催の日程は土曜日の午前中という休日だが、開催場所は学校の会議室を借りてだと言うから、なるほどどこんなにも公式にやられたんじゃ、ほとんどの親が参加せざるをえないわけだ、と思う。学校も、もっとやりたくない父親の気持ちを考慮したらどうなんだ。

　幸臣の小学校は、今年度改装時期を迎えているとかで、校庭の一部と校舎の東側に工事用の白いビニールシートがかけられていた。先に進むことも、そのまま帰ることもできずにどっちつかずにその様子を眺めていると、背後から「あのう」と声をかけられた。振り返ると、ノリの利いたシャツに仕立ての良さそうなジャケットを羽織った男性が立っていた。髪に混ざり始めた白髪や口の周りにうっすら滲《にじ》む皺《しわ》の様子から、私よりも年上らしいと見当をつける。

「六年生の〝お父さん会〟の方ですか？　あの、私、初めての参加なんですけど、よろしくお願いします」

「あ、こちらこそ」

　どうやらお仲間らしい。親父会、という言葉に抵抗があって「お父さん会」と控えめに言い換えているところに好感が持てた。いくらか気安い気持ちになって言う。

「初めても何も、みんなが初めてでしょう。親父会は今日が初回みたいですから」

「はあ。あ、初めまして。私、小松ユカリの父親です」

「あ、水内幸臣の父親です」

「ああ、幸臣くんの」

小松さんがほっとしたように頬を緩めてくれたものの、あいにく、私は彼の子供の名に聞き覚えがなかった。曖昧に「よろしくお願いします」と言いながら、これでもうサボれなくなってしまった、と覚悟を決める。それでも道連れができたことで少しばかり心強くなって、一緒に校舎まで歩いた。

授業参観も教師との面談も、すべて温子に任せていたから、小学校に入るのは去年の運動会以来のことだったが、その時も校舎にまでは入らなかった。子供の文字で書かれた下駄箱の名前や周囲に貼られた学校のスローガンやポスターに気後れしながらスリッパに履き替える。改装中だという校舎は、中に入ってもやはり外側と同じ色のビニールであちこちが覆われていて、どちらに行ったものか、すぐにはわからず迷ってしまう。

すると、廊下の奥の方から誰かの話し声が聞こえてきた。

「よお、久しぶり」「そういえばあれ、どうなった？」「こないだ飲んだ時お前さ――」

笑い声さえ混じった和やかで威勢のいい声に、小松さんと「あっちですかね」と顔を見合わせながら歩いていく。

中に入ると、すでにやってきていたらしい十数人の父親が、コの字型に会議室の机を並べ、その上にプリントした資料を載せて、一枚ずつ取って冊子にする作業をしていた。

驚いてしまう。初回の打ち合わせで、何故、もう資料の用意があるのだ。

「お」

その時、前の席で黒板を背に座っていた親父の一人が顔を上げ、入ってきたばかりの私を見つめた。その途端、私も「あ」と思う。

「タバコ屋じゃないか」と声をかけられ、たじろぎながら「沢渡さん」と応える。

沢渡は、温子の実家のあるのと同じ豊町銀座商店街に長年店を構える、洋菓子屋・沢渡屋の主人だ。回り持ちでやるはずの商店街長（商店街に長なんて役割があること自体、私は温子と結婚するまで知らなかった）を何代にもわたって務めている家で、閑古鳥が鳴き始めた商店街の中にあって、定番商品のマドレーヌが雑誌に紹介されたり、東京の情報番組で取り上げられたこともあるとかで、あの一帯でほとんど唯一の華やぎになっている。菓子職人という言葉の持つ繊細なイメージと違って、盛り上がった肩や浅黒く日焼けした顔は、土建屋の親父と言った方がしっくり来る。けれど、この日焼けはゴルフ焼けなどではなく、商店と別に持っている畑で休日に農作業するせいなのだそうだ。

跡を継ぐ気がないからと言って、隣近所への挨拶をしないわけにはいかないと義父に言われ、私は温子と結婚する際、商店街の家に一軒一軒義父の付き添いで挨拶に行き、直接世話になるわけじゃないからいいじゃないかと私が言うのも聞かず、こぢんまりとやりたかった披露宴にさえ、温子は彼らを招待した。その席で、乾杯の発声をしたのも沢渡屋だった。

「今、新郎の孝臣くんは跡を継ぐ気がないと言っているようですが、どうか、一日も早く大学をやめ、タバコ屋のしっかりとした跡取りとなって、我が豊町銀座商店街を支えてくれることを大いに期待しております」という冗談にしてもあまり笑えない挨拶に、私の両親も同僚たちも目を丸くしていた。

以来、私は彼から「タバコ屋」と呼ばれる。「タバコ屋は学があるからいいよな」と、特に何の学問の話をしたというわけでもないのに言われ、そのたび彼の言う「タバコ屋」の響きにプレッシャーとも非難とも取れる重たいものを感じ取る。

ああ、そういえば彼の家の剛くんと幸臣は同級生だ。すっかり忘れていた。

「こんにちは」

「おう。よろしくな。資料取ったら好きなとこへ座れよ」

にっと笑ったその顔に、親父会の結束力の強さも、初回なのに資料が用意されている手際の良さも、全部の謎が氷解した。沢渡屋が仕切っているなら、それも当然だ。促されるまま小松さんと一緒に資料を取り、隅の席に腰を下ろす。私たちのように肩身が狭そうにひっそりと座っている父親も多いものの、沢渡屋を中心にすでに旧知の間柄といった様子で親しげに会話を交わす父親たちも同じくらいの数いる。

「お知り合いなんですか」

小松さんが沢渡屋の方を見つめながら、心細げな声で尋ねてくる。

「ええ、まあ。妻の実家が近所なので」

「皆さん、仲がよさそうですね。私、これまであまり娘の学校の集まりに顔を出さなかったものですから、お恥ずかしい」

「それは私も一緒ですよ」

私も彼らの仲間ではないんですよ、と聞こえるように精一杯言ってみる。同じく肩身の狭い者同士、仲よくしてくださいよ、というつもりで。

ガハハハ、と沢渡屋を中心とした父親たちから笑い声が上がり、私たち同様隅の席に座った父親たちが身を強張《こわば》らせ、逃げ込むように手元の資料にじっと目を落とすのがわかった。

ただでさえ憂鬱《ゆううつ》だった親父会が、さらに憂鬱な気持ちになる。

沢渡屋の家とは、昔馴染みで同学年の息子がいるということで、温子も実家に帰った際によく幸臣とともに行き来していた。

商店街のバス旅行や親睦会にも誘われ、私も強制的にそれらのいくつかに付き合わされた。キャンプやバーベキュー、ピクニック、草野球……、知り合いからチケットが手に入ったと、幸臣はプロ野球観戦にも何度か連れて行ってもらったはずだ。沢渡屋は、どこに行っても中心人物なのだろう。行事への出席率が悪く、キャンプだってバーベキューだって準備をろくにせず、誰かから指示された時だけ腰を上げる私とは大違いだ。子供たちからも人気がある。

実際、旅行やイベントに商店街の本来の住民ではないのに参加させてもらえるのは、自分で宿を予約したり、車を運転する手間がない分ありがたい。前年のキャンプの時には、「研究棟の合い鍵のある場所がわからない」と学生から携帯に電話がかかってきたのをいいことに「大学で急用だ」と、途中で帰った。渋る温子を「俺じゃなきゃわからない案件なんだ」と説得し、後を沢渡屋たちに任せる。幸臣も特に寂しそうではなかったし、もともと客商売で鍛《きた》えた社交性を発揮する他の大人たちに混ざって、浮いた存在になった父親に用などないだろう。

親父会では、主に、年間の行事予定の確認と、校舎が改装することに伴い、長い休みの間校庭まで使えなくなるため、それらの行事をかわりにどこで開催するか、ということなどが、沢渡屋の進行のもとでテキパキと決まっていった。三月の卒業時には謝恩会でどんな出し物をするかということにまで話が及ぶのを聞いて、まだ来年の話じゃないか、と呆れてしまう。

ようやく議事が終わりそうだという頃、ドアがノックされた。

「皆さん、お疲れさまです」

入ってきたのは色つきのシャツにブランド物のロゴが入ったズボンを穿《は》いた、爽やかな面立《おもだ》ちの青年だった。うちの院生とそう変わらないように見える。足下も、学生が履くような、ぱっと目を引く鮮やかな蛍光ブルーのスニーカーで、手には近所のスーパーの袋を提げていた。

沢渡屋が「比留間先生」と声をかけた。

名前に聞き覚えがある。幸臣の今年の担任だ。学校で一番人気のある若い男の先生になった、と温子が言っていた。

「差し入れを持ってきました。もしよければどうぞ」

比留間が、持っていた袋からパックのジュースを取り出して配る。「すいません。うちから何か持ってくりゃよかった」と沢渡屋が頭を下げた。

「次から、お気遣いは無用に願います。今日もすいませんね。先生は本当だったらお休みのところを」

「いえいえ。やりかけの仕事が残ってたし、何より、お父さんたちのイベント、僕も楽しみにしているんですよ。会費を払えば教師も参加していいんですよね」

「そりゃもうぜひ」

沢渡屋が答えると、別の親父が「先生からも会費取るのかよ。ちゃっかりしてらぁ」と声を立てて笑う。その声を聞きながら、私は隣から回ってきたジュースを受け取り、ジュースはいいから、さっさと解散になってくれないものだろうかと願う。腕時計を見ると、開始からそろそろ一時間半が経つ。

こんなことに一時間半も使ってしまったのか、と肩を上げて大きく深呼吸する。

「タバコ屋。お前、会計な」

話し合いを終え、晴れて解散となって机を全員で片づけていると、ふいに沢渡屋から声をかけられた。「は？」と振り返ると、沢渡屋は有無を言わさぬ口調で「会計」とくり返した。

「毎回毎回全員で集まるのも大変だから、今後は役員だけで話し合うことになるからな。で、お前は会計。よろしくな」

「ちょっと待ってくださいよ。私には会計なんて――」

親父会はあくまで自主運営の互助組織で、みんな本業と家庭を第一に、とさっき〆の挨拶をしていたじゃないか。それに、一時間半も会議したのだから役員だってその中で公平に決めればよかったじゃないか。何故、会議も終わった頃になって押しつけるように任命されなきゃならないのだ。第一、沢渡屋が会長だってことも、そういえばいつ決めたのか覚えがない。

「大丈夫だよ。お前、数字に強そうだし」

そういうなら、お前だって商売をやってるんだから誰より数字に強いだろ、と思ったが、他の親父たちに囲むように見つめられると逃げ場がなかった。「あ、じゃあ、まあ、――でも」とあがく私に「じゃ、そういうことで。次の役員会の日程はまた連絡するわ」と沢渡屋はあっさり背を向ける。

取り残されるように立ち尽くす私の横で、小松さんが「大変ですね」と同情するように声をかけてきた。だったら代わってくださいよ、と泣きそうな気持ちで視線を上げると、彼もまた「ではまた」と挨拶し、そそくさと会議室を出て行く。

前途多難だ、と頭が痛くなる。

自主運営、あくまでも仕事と家庭優先。聞いたばかりの言葉を反芻《はんすう》しながら、仕事でないと言いながら、これが仕事だったらいっそ楽なのに、と恨めしくなる。仕事だったら、もっときっちりと役割が振られ、こんな理不尽でなあなあな目には遭わずに済むはずだ。

4

幸臣が教師になりたがっている、と知ったのは、その年、「七夕会」の短冊を見たからだった。各学年ごとに用意するという短冊が、居間の机の上に出しっぱなしになっていた。

『しょうらい、小学校の先生になれますように。　水内幸臣』

「おい、幸臣は教師になりたいのか？」

幸臣は風呂に入っていた。

書かれた願い事を見て問いかけると、温子があっさり「そうよ」と頷いた。少年野球に入ってるせいか、去年までは確か、プロ野球選手になりたいとか、それこそ夢みたいなことを言っていたはずだったのに、いつの間に変わったのだろうか。

「ずいぶんとまあ、現実的なことを言うようになったな。公務員だったら収入も安定してるし、初任給もいいから結構な話だけど」

「幸臣、比留間先生みたいになりたいんですって」

言われて、親父会の時に一度見たきりの好青年の顔を思い浮かべる。「評判いいのよ」

と温子が続けた。

「五月の修学旅行も、四月に入ってすぐから何度も何度も学級会や取り組みの時間を設けて準備してくれて、そのせいで今までの六年生より自由時間を多く取ってくれたんですって。他にも、先生が自分の好きな本を紹介してみんなで読む時間があったり、ニュースや社会情勢について話し合ったりなんて授業もあるみたい。自分たちで考える力がついてるせいか、今年の六年生はしっかりしてるって他の先生たちも言ってるし、幸臣も学校がすごく楽しいみたい」

「へえ。でもそれは、他の授業がおろそかになってるってことじゃないのか」

「なんでそんなことにしか目が向かないの！　授業をやったその上でってことでしょう」

温子が目をつり上げる。

「やり方が変わってるとこがいいのよ。この間なんて環境問題を考えるのにジブリのアニメをみんなで観て、それを題材に授業したんですって」

「アニメ？　学校は勉強するところなのにいいのか」

「だから、本来遊び感覚で観てるアニメを通じて子供にわからせたところがすごいって話をしてるんでしょう！　なんでそんなに頭が硬いのよ」

修学旅行の結団式から出発式、間の移動や終了式までの流れを丁寧に予行練習し、実際の旅行では、比留間は帰りのバスの中で「みんなと出会えて本当によかった。このクラスを卒業させられることが嬉しい」と涙ぐんでいたそうだ。もらい泣きする女子もたくさんいた、と聞いては、もう「へえ」と相づちを打つより他なかった。ここで「修学旅行があったのはまだ五月なのに？　四月から一ヵ月ちょっと受け持っただけじゃないか」などと口にしてはいけないことは、さすがにもうわかる。

「おかげで今年の六年生、団結力も強いのよ。みんな仲がいいし、いい子たちだし」

「幸臣はそれで小学校の教師に憧れてるのか。単純だな。これから中学や高校だってあるのに、小学校がいいなんて」

「大学の先生になる道だってあるって言いたいの？」

「まさか。大学は勝手が違う」

息子にも自分と同じ道を進んで欲しいという気持ちなど、私にはない。

「ともあれ、教師じゃ、老後は楽がさせてもらえそうもないな」

何気なくそう言った時、廊下からふっと気配を感じて顔を上げると、風呂から上がったばかりの幸臣がバスタオルを頭からかけ、身体から湯気を立てた状態で、裸のまま立っていた。目が、私が手元に持った自分の短冊を見ている。

その目が衝撃に撃たれたように大きく見開かれ、口元を真一文字に結んでいるのを見て、はっとなった。横にいた温子が話題を逸らすように「こら、早く服を着なさい」とあわてて立ち上がる。

幸臣は答えなかった。

黙ったままタオルで一度髪の毛をぐしゃっと拭い、そのまま私に近づくと、願い事が書かれた短冊をひったくるように摑んだ。

「幸臣！」と温子が呼んだが、黙ったまま、二階の自分の部屋に上がっていってしまう。「幸臣」ともう一度呼んで廊下に出ていった温子が、戻ってきて次に「お父さん」と私に呼びかけた声が、冷ややかだった。

「謝りなさいよ。水を差すようなことばっかり言って」

私もまた、温子に答えなかった。意固地になったからではなくて、どう反応すればよいかわからなかった。

幸臣は素直な子供だ。

小学生らしく無邪気で、親戚の子供や商店街の旅行で会う他の子供たちに比べてもどちらかといえばおとなしい。中学校に上がれば、この素直さが失われ、年相応な生意気な口を利くようになるのだろうと、中学生のまま大人になったような自分のところの学生たちを見ていて思うことがある。将来の夢などなく、それどころか就職できるかどうかもわからないのに、さりとてそれを困ったと思う様子もなくヘラヘラ笑う学生たち。指導しながら、彼らはいつまで親の脛《すね》をかじり続けるつもりなのかと他人事ながら心配になることもある。

それに比べたら、小学校の教師など本当にまともな夢だ。今の発言で幸臣が夢を諦めなければよいが。ぐれて、親に面倒かけるような子供にならなければよいが。この家のローンだってまだ残っているし、それを払い終えたら手元に残る老後の蓄えなんてうちは知れたものだ。

大物にならなくともいいから、どうか自分の食い扶持《ぶち》くらい自分で稼げる大人になってくれ、と祈る。

沢渡屋の息子、剛くんの将来の夢は、「沢渡屋を継ぐこと」だと、その秋にあった親父会で聞いた。

会費の提出状況が悪いこと、夏休みの間に行われたキャンプ関係で立て替えがあった分について領収書か請求書を提出して欲しいとあれだけ呼びかけたのに平然と忘れてくる親父たちへのストレスに胃をキリキリさせながら帳簿をつけていると、「タバコ屋はまったく真面目で律儀だよなあ」と沢渡屋が話しかけてきた。

「俺の見る目は確かだった。会計を頼んで本当によかったよ」

得意げに仲間に語る姿を見て、ああ、なんで私がこんな目に遭わなきゃならないんだと腹立たしい。一年間のことではあるし、波風立てるのも損だからと「はあ」と頷いてしまう自分にもまた嫌気が差す。

担任の比留間のおかげで今年の六年生が仲がいいというのは本当らしい。もともと一クラスと少人数だったし、親父会がイベントを主催し、比留間がそれに協力的だということもあって、この私ですらクラスの子供と親、全員の名前と顔が一致するようになった。

最初の親父会で話した縁で、小松さんは会計の仕事を手伝ってくれるようになった。確認したら、小松さんは駿河中央銀行に勤めているそうで、だったら本当に会計代わってくれよ、というか、私は現役の銀行マン相手に会計を務めなければならないのか？と理不尽に思う気持ちに拍車がかかったが、小松さんを始め、会計の仕事を通じて顔なじみになった親父連中と「どうも」と挨拶を交わすことができるようになっただけで、親父会に参加する足取りが少しは軽くなった。

幸臣から「この間のキャンプでユカリのお父さんと話してたけど仲いいの」と殊更ぶ

っきらぼうな口調で聞かれたが、あれは、小松さんのところの子供を好きだからかもしれない。後で見てみたら、小松ユカリちゃんはお父さんと似たキレ長の目をした、なかなかきれいな女の子だった。

七夕の短冊の一件以来、私は幸臣と、将来の夢について話すことはほとんどなかった。しかし、沢渡屋の息子に対しては、相変わらず、幸臣は大きくなったら教師になりたいと話しているそうだ。

「やっぱり父親の影響があるんじゃないかって言ったら、幸臣くんから『おじさん、大学の先生と小学校の先生は全然違う仕事だよ』って怒られた。しっかりしてるな、幸臣くん」

屈託ない口調で言われると「そうですか」と答えるより他なかった。以前、自分も温子に同じようなことを言った覚えがあるが、当の幸臣にそう言われると、理不尽な話だが、複雑な気持ちになる。

「うちの剛は店を継ぐって言ってるんだよな。俺はなんでも好きなこととして構わないって言ってるんだけど、商店街を背負って立つんだなんて言っててさ」

どうだっていいような口調で言って見せても、沢渡屋がそれを喜んでいるのは明白だった。それは結構なことですね、という気持ちで投げやりに「いいですね」と答えたが、沢渡屋はこの時も屈託なく「そうか?」と聞き返すだけだった。

ハロウィンが終わり、焼き芋会が終わり、年が変わると、六年生は急に卒業を意識するようになる。

これまでそんな気配を微塵《みじん》も感じさせずに牧歌的に遊んでいるだけだと思っていた子供たちの中にも、私立や国立の中学校を受験する子たちがちらほらと現れ始め、小松さんのところからある日「おかげさまで、春から水内さんのところでお世話になります」と挨拶されて驚いた。うちの大学には確かに附属の女子中学校がある。

中学と大学とで直接的な接点はほとんどないが、小松さん一家の喜びの程は理解できたので「いやいや」と挨拶を返した。

「お嬢さん受験されてたんですね。ちっとも知らなかった」

「妻が特に熱心で。おかげでやれ塾だ冬期講習だって、今年は落ち着きませんでした」

うちの幸臣も塾に通っているが、この辺りの私立の中学は女子校ばかりだし、受験は高校からでよいだろうと気にしていなかった。塾通いも、高学年になったばかりの頃、なんとなく近所にあるからと通わせ始めただけだ。クラスには、沢渡屋を始めとする商店街の子供たちを中心に「本人がわからないと言い出すまでは」と塾に通っていない子供たちも大勢いる。

行事やそれに向けての取り組みの熱意を称えられるだけあって、幸臣たちは卒業制作や卒業式、謝恩会への準備に毎日遅くまで取り組むようになった。学校に記念の品を残そう、と玄関前に版画を彫って並べたり、自分自身への記念品として素人目に見てもよくできた宝石箱を一人が一つずつ作ったり。制作が遅い友達がいれば、その分同じ班の仲間が一緒に残って協力するのだと聞いて、付き合わされる子供はたまったもんじゃないだろうと思ったが、幸臣たちは特に嫌がるでもなく遅くまで楽しそうに学校にいた。そのせいで、塾を休む日すらあった。

比留間が学級だよりに書いていた。

『お父さんお母さんたちには、毎日遅くまで子どもたちが活動して帰ることを心配に思われる方もいるでしょう。だけど、僕らはみんな、三月に向けてラストスパートをがんばっています。

みんな、卒業する大事な年を僕に担任させてくれてありがとう。』

〝タイムカプセルを作ろう〟という見出しの記事も、同じ学級だよりに載った。

『将来の自分に向けた手紙や、今大事にしている宝物を中に入れて校庭に埋めよう。六年一組のメンバーで、八年後の成人式を一緒に祝い、掘り起こす日、みんながそれぞれどこで何をしているかを、先生は楽しみにしています。』

感心してしまった。

タイムカプセルはドラマや映画でみんなが当たり前にやるかのごとく描写されるイベントだが、私自身はそんなことはやらなかったし、周りでもやったという話は聞かなかった。だけど、そうかあれはテレビや小説の中だけではなく、実際に行われる行事だったのだ。いかにもザ・卒業イベント、というものを、幸臣たちはできるだけ全部やるのだなあと圧倒される。

一人につき入れられるものは、小箱一つ分まで。

学校で配られたという紙の箱に、二十歳になった自分への手紙を入れる。幸臣は好きな漫画本を一緒に入れるかどうかを長々悩み、結局八年間見られなくなってしまうのは耐えられないと、漫画をやめにして、好きなテレビアニメのカードを数枚入れたらしい。クラスの他の子も、各自思い思いの自分の宝物を断腸の思いで中にしまって送り出す。成人した数年後に見て、それが変わらずに自分の宝物だと思えるかどうかはともかくとして。

「何を書いたんだ」と尋ねた私に「父さんには関係ない」と幸臣は答え、好きな女の子の名前でも書いたのかな、とその時は深く気に留めなかったが、きっと教師の夢のことを書いたのだと、後から気づいた。以前そのことで私と気まずくなったから、もう言わないことにしたのだろう。

「比留間先生は中学の頃はサッカー部だったんだって」と、中学から同じくサッカー部に入ろうとしているという幸臣は、卒業を前にますます比留間に懐《なつ》いているようだった。

憧れる対象も、好きな女の子も夢も、全部が三十数人しかいない狭い世界で完結している息子が、微笑ましくもあり、少しだけもどかしくもあった。温かで狭い場所を卒業し、中学校では他の学校からやってきた子供を含めて一気に七クラスにまで同級生が増える。

「タイムカプセルはもう埋めたのか。それとも卒業式で親たちと埋めるのか」

親父会でやらされるのだったらたまらないな、と思って尋ねると、幸臣が「まだ。先生が埋めることになった」と答えた。

「校庭が今、遊具とか改装してるから、木の下には埋めちゃダメなんだって。プールの横は改装しないんだからそっちの方に埋めさせてくれたらいいのに、教頭や校長の圧力がさ」

まるで政治の世界について話すような口調で幸臣が言うのを聞いて、おや、と思う。これは幸臣自身の言葉だろうか。

「偉い人たちに反対されたから、改装が終わったら比留間先生が埋めることになったって。役に立てなくてごめんなって、みんなの前で先生、悔しそうに謝ってた」

クラスの中で少しでも無視や仲間はずれに近いことがあると、何時間も時間を取って話し合うという幸臣たちのクラスの学級会の議題に、「給食が少なすぎる」というのがあったという話を、ふいに思い出した。

配膳係が均等に盛りつけたはずが全員に行き渡らず、他の学年に余りをもらいに回った日が何日か続いたそうで、育ち盛りの六年生の給食がこれではあんまりだ、と全員で給食室と校長室に抗議に行った。

「俺の分はいいから」と、担任の比留間は食事をせず、心配した子供たちが自分たちの分を少しずつ集めて持っていっても、比留間は笑って「俺は、〝先生の分がなかった〟っていう既成事実を作るためにやってるからいいんだよ」と、頑として受け付けなかったそうだ。

その話を聞いた時、まるで体制と闘うレジスタンスだな、と思った。

所詮は小学校、それも卒業の年だ。盛り上がるなら大いに盛り上がるがいいと、その時は黙っていた。余計なことを言えば、また温子にも幸臣にも怒られるに決まっているのだ。

当たり前の話だが、幸臣たちの卒業を機に、親父会も解散になった。

面倒なことをやらされたものだと、肩の荷が下りたことに安堵していると、温子から「幸臣が、お父さんが親父会に全然出てくれなかったって悲しがってたわよ」と言われた。

「なんでだ。役員までやったのに」

「そんなこと言われても……。自分の父親にも目立って欲しかったってことでしょう」

謝恩会で行われた親父会の出し物は、有志メンバーが学ランのコスプレをして応援団に扮《ふん》し、エールを送るというものだった。「タバコ屋もどうだ」と誘われたが、一年通じて面倒な会計の仕事をやったのだからと、免除してもらった。結局というか、案の定というか、沢渡屋を中心としたメンバーが舞台に上がり、会場を盛り上げているのを、私は椅子に座ったまま会場の後ろで見ていた。

「子供が卒業しても、これを縁にこれからも集まろうぜ」と呼びかける沢渡屋の声に曖昧に頷いたが、たまたま子供同士が同じクラスだったというだけの縁だ。呼びかけられたところで、もう応じることはないだろう。顔なじみになり、挨拶するようになった小松さんとだって、きっとこれまでの付き合いだ。名残惜しい気持ちが全くないわけではないが、人同士の縁なんてこんなものなのだから、仕方ない。

そして、そんな人同士の縁と別れは、幸臣たちにも訪れた。

「また、いつでも学校の職員室を訪ねてこいよ」

そう、男泣きに泣いて子供を送り出した比留間が異動になり、幸臣の母校を去ることになったのだ。

新聞に発表になった異動内容を温子の口から聞かされた幸臣は、「嫌だ」と短く口にした後、顔を真っ赤にして俯《うつむ》いてしまった。

子供同士が自主的に連絡を取り合って学校に集まり、会いに行くと、比留間は「次の学校はここと違って大きいよ」と寂しそうに微笑んでいたという。女子も男子も、卒業式で泣かなかった子たちでさえ、涙を見せる子がたくさんいたそうだ。

「新しい場所では、きっとみんなと過ごしたような絆は築けない。みんなは、俺の教師人生の中でも絶対に忘れられない特別な存在だ。たくさんの思い出が沁み込んだこの学校を離れるのは、先生も本当につらい」

私は参加しなかったが、親父会や、母親たち何人かも、「お世話になりました」と個別に学校や比留間の自宅を訪ねたそうだ。「うちも受験でお世話になったので」と菓子折を持っていったという小松さんに、そう教えてもらった。

5

月日は流れ、私が再び比留間の名前を聞いたのは、幸臣が高校三年生になった年の春だ。

幸臣は、県立高校の進学コースに通い、そろそろ受験勉強を本格化させようという頃だった。小学校の先生になる、という夢は、依然として幸臣の中に刷り込みのように残っていた。

「ねえ、ちょっとおかしな話を幸臣から聞いたんだけど」と、温子が歯切れの悪い口調で切り出した。

高校生になった幸臣は、親と会話らしい会話をほとんどしなくなっていた。もともと父親よりも母親に何でも話す傾向にある子供だったが、その母親にさえ中学の中頃から「くそババア」と年頃らしく反発するようになり、その頃よりはいくらか落ち着いたとはいえ、今も二階の自分の部屋にこもりきりで、必要がなければ私たちのいる一階にはまず降りてこない。

幸臣と話すなんて珍しいな、と思って、読みかけの本から顔を上げる。

「比留間先生、覚えてる？　幸臣の六年生の時の担任の」

「覚えてるよ。若い男の先生だった」

「うん。あの子、あの先生と、卒業の時にタイムカプセルを作ったんだけど」

「ああ」

それも覚えている。なけなしの宝物を八年間埋めてしまうことに躊躇《ちゅうちょ》していた、あの頃はまだ幸臣にもかわいげがあった。

温子の顔に、無理して作ったような微妙な笑みが浮かんだ。

「それ、埋められてませんよって、言われたんだって。後輩の男の子に」

え、と声を出そうとして、それより早く、温子が早口に続けた。

「今年、幸臣の高校に入ってきた男の子と、今日、帰り道が一緒になって、その時に言われたんだって。先輩の学年、卒業の時にタイムカプセル作りませんでした？　あれ、倉庫にありましたよって」

その男の子は幸臣の小学校の後輩で、校舎の改装が終了したことに伴って行われた全校清掃の際にそれを見つけたのだという。

「何だろうと思って箱の中を見たら、幸臣たちの学年の生徒の名前が入った手紙とか、シールとか漫画の本とかがいっぱい出てきて、これ先輩たちのだって、みんなで見たんだって」

読みかけの本を支える手から、知らないうちに力が抜けていた。温子の声の途中から、言いようのない衝動が胸を押し始めていた。唇と、目とが乾いていた。瞬きするのを忘れていた。

想像してしまう。

思い入れのない誰かの思い出の品を、興味本位で、悪意すらなく他人が開封してしまうところ。八年後、二十歳になった自分だけが見ていいはずの秘密をそれより先に誰かに読まれることの恥ずかしさ――、もっと言うならば、屈辱。

実際には、幸臣の後輩たちはそこまではしなかったかもしれない。けれど、見られたかもしれないと幸臣が思ってしまったなら、それは同じことだ。

「後輩の子たちはね、事情がわからないから、ただ、その頃流行《はや》ってたシールとか見て懐かしかったですよって、笑ってたみたいなんだけど……、それ、倉庫の中でも焼却に回される、ゴミのところにあったんだって」

何かの間違いよね、と温子が言った。

「きっと何かの間違いか、手違いだとは思うんだけど。その時は置きっぱなしだったかもしれないけど、比留間先生、後から埋めたかもしれないし」

「幸臣はなんて言ってた」

「それが……、『あの先生ならやりかねないかもね』って」

絶句してしまう。

温子が眉根に皺を寄せて続けた。

「そんなことないでしょうって言ったんだけど、幸臣も、それっきり気にしてないようだし」

そんなはずがない。本当に気にしていないなら、そもそも温子にそんな話をするはずがない。

比留間先生、比留間先生、とあの先生の名前を一番よく聞いた頃のことを思い出す。あの先生に憧れて教師を目指すと言っていたこと、中学に入ってからだって、しばらくは比留間先生に今の自分を見て欲しいから、と、それを励みにテストだって部活だって頑張っていたはずだ。

それがいつから、あの先生ならやりかねない、なんて構えた物言いをするようになってしまったのか。

「実は、比留間先生のことは、前に商店街のお母さんたちが悪く言ってたことがあって」

温子が躊躇《ためら》いがちに、声をさらにひそめる。

「修学旅行とか卒業式への取り組みには熱心だったけど、その分授業を全然やってなかったみたいで。うちの幸臣みたいに塾へ通ってた子は問題なかったみたいだけど、何人かの子は中学に入ってから勉強についていけなくて、家庭教師をつけることになったり、随分困って、大変だったみたい」

まあ、いい先生だったんだろうけど。

その一言があればすべてがどうにかなるというように、温子が最後に付け加えた。


その翌週の水曜日、大学で講義のない午後に幸臣の母校を訪ねた。

どうしてそんなことをしてみるつもりになったのか、一言で説明しようとしても、とても言葉にはならない。様々な要因が少しずつ重なり合って、衝動的にそうしてしまったのだとしか言いようがなく、そこには息子のためにといった気持ちが明確に存在していたかどうかもよくわからなかった。そんな柄でないことは、自分が一番よくわかっている。

五年も前の卒業生の父親だと名乗った私を、応対してくれた事務員の女性が怪訝《けげん》そうな目で眺めた。

「あいにく、校長も教頭も不在にしておりますが……」

そう言って告げられた校長や教頭の名前は、覚えのあるものではなく、幸臣の時とはもう代が替わってしまっていた。

代わりに当時から学校にいるという別の教師を連れてきてくれたが、幸臣の学年とはほとんど接点がなかったという私と同年代の女性教諭は、幸臣の名前を出しても、すぐには思い出せないようだった。事前に電話もしなかった私の突然の訪問をそれでも門前払いしなかったのは、私が差し出した大学の名刺に少しは効果があったからのようだった。

タイムカプセルの経緯についてを、なるべく嫌味に聞こえないように説明し、「倉庫を見せて欲しいんですが」と申し出ると、その教師は他の教師とともに顔を見合わせていた。

「倉庫って……、体育倉庫ですか。どこのことでしょう?」

「わからないので、倉庫と名のつくところは全部。図々しいお願いでしょうが、頼みます」

「と、言われましても。学校の外の方を入れるわけには……」

「息子の代のタイムカプセルを探して、校庭に埋めさせてもらえるだけでいいんです」

五年経ち、息子が在学していないというだけでこんなにも学校という場所は自分たちのものではなくなり、冷たくなってしまうのか。親父会で頻繁に訪れていたはずのこの場所が馴染みのない違う場所のように印象を変えてしまったのは、何も改装工事のせいばかりではないだろう。

軽い失望を感じながら、しかし、その一方で、そんなものかもしれないな、と思いもする。

温子は、比留間が戻ってきてまだタイムカプセルを埋めるつもりかもしれないとごまかすようにして言っていたが、そんなはずがない。曲がりなりにも「学校」関係者だから、私にもよくわかる。一度自分のものでなくなってしまった場所に戻ることなど、まずありえない。

「ともかく、校長が出張から戻ってきたら相談しますから」と、クレーマーに手を焼くような調子で言われ、さすがにむっとして「ただ探すだけですよ」と食い下がったが、確かに決定権を持つ管理職がいない状態では、その日はもうどうにもならないようだった。

「また来ます」と告げて、学校を去る。

かつて初めての親父会でここを訪れた時より、ずっと気分が重かった。

元はと言えば、比留間個人だけではなく、学校側に落ち度がある話には違いないし、何故こちらがこんなに下手に出なくてはならないのだと面白くない気持ちもある。

その比留間を「あの先生なら」と言い切ってしまえる今の幸臣は、私たちが思うほどには、本当に傷ついていないのかもしれない。けれど、六年生当時の、あのタイムカプセルを作った幸臣は、比留間に裏切られたと知れば、この世の終わりのように傷つくに違いなかった。

それこそ、教師の夢を捨ててしまいたくなるほどに。

6

小学校からの連絡は、一向になかった。

自分たちで倉庫を探してくれているのかもしれないし、あるいは、幸臣の後輩が見つけた時、タイムカプセルはゴミと一緒に置かれていたと言っていた。もう捨てられてしまったのかもしれない。

幸臣たち六年生は、卒業までの間に、本当にさまざまなことをしていた。行事一つ一つへの取り組み方も半端なものではなかったし、学校に残した卒業制作も、記念品も、イベントとしてできることはすべて全力でやっていた。埋められなかったタイムカプセルの思い出なんて、そんな中ではたいして大事な思い出ではなかったのかもしれない。他の記憶にまぎれて、やがては忘れてしまうかもしれないし、今だって、覚えている子供はほとんどいないかもしれない。

「また来ます」と宣言したものの、次に小学校を訪ねていく時には、本格的なクレーマーだと思われることを覚悟していかなければならないだろう。考えるだけで気が滅入る。モンスターペアレントとか、クレーマーとか、言葉にするのは簡単だが、世の中には私のような事なかれ主義なのに、仕方なく文句をつけにいかなければならない人たちだっている。相手に非があっても、どうしたら丁寧さと穏やかさを失わず、事を荒立てないで済むかばかり考える、貧乏くじを引くようなクレーマーが。

それでもそろそろ重い腰を上げなければならない。ここでうやむやにしてしまっては、幸臣たちのタイムカプセルはもう二度と見つからないだろう。馴染みがないとはいえ、まだ比留間を知る先生たちがいる今のうちに動くしかないのだ。

はあ、と大きなため息をついて、大学からの帰り道、ふと携帯を見ると、着信が残っていた。私の携帯は温子と仕事の関係者からしかほぼ着信が入らない。深く考えずに履歴を開き、そこでおや、と息を呑んだ。一瞬、見間違いかと思う。『沢渡屋』と表示されていた。

折り返す気持ちすらすぐにはわかず、きょとんと表示画面を見つめていると、追い打ちをかけるように携帯電話が震えだした。今度も『沢渡屋』と表示されている。

「――もしもし」

『よお、タバコ屋』

彼の家とも今はもう随分縁遠くなっていた。剛くんは、幸臣とは違う商業高校に通っている。商店街の旅行やお祭りは小学生を対象にしたものばかりだったし、子供たちも部活だ塾だと、それぞれの都合を優先するようになって、親まで入れて何かする機会は、中学になるとほとんどなくなった。

数年ぶりの距離を感じさせることもなく、さらに言えば、もともと仲がよいわけでもないのに出し抜けに人を「タバコ屋」呼ばわりできるところは本当にさすがだ。「はあ、どうも」と間抜けに挨拶を返した私に、『聞いた』と彼が言った。

『長浜《ながはま》先生から、タイムカプセルのことを聞いた。お前が、探させてくれって、一人で学校に頭下げに行ったって話もだ。見直したぞ、タバコ屋』

「え」

息を呑む。

確かに頼みに行ったことは行ったが、沢渡屋が言うと、なんだか話が大きくなっていないだろうか。『見直した』と、彼がもう一度言う。

『たいしたもんだ。だけど、なんで俺にまず最初に相談しないんだ。校長にかけ合うなら一緒に行くぞ。比留間に文句を言いに行くんだったら、あいつのことも学校まで呼び出すか、それで来なけりゃあいつの学校まで怒鳴り込みだ。長浜先生に聞いたら、今、隣の市の小学校にいるらしい。四年の担任で――』

「ちょっと待ってください。長浜先生っていうのは」

『会ったんだろう？　剛たちが六年の時、二年を担任してた』

どうやら私が応対されたあの女性教師らしい。名前を忘れるようでは、本格的に私にはクレーマーの才能がないのだろうとなんだか悲しくなる。

『親子二代でうちの店のお得意さんなんだよ。お前が来た時にはすぐにピンとこなかったらしいけど、ひょっとしてうちの剛と同級だったんじゃないかって、昨日店に来た時に話に出た。まったくとんでもねえな。比留間、あいつろくなもんじゃねえ。どうする？　まずはあいつを締め上げにいくか』

「ちょっと、ちょっと待ってください。お願いします、大ごとにしたくないんです！」

沢渡屋のペースに飲まれまいと大声を出す。

だからだよ、と心の中でひそかに舌打ちをする。沢渡屋に知れると、絶対に事が大きくなる。学校も比留間も、子供たちさえ巻き込んだ「事件」や「不祥事」になって、事情は幸臣たちの知るところになってしまう。それだけは何としても避けたかった。

「タイムカプセルを探し出して、校庭に埋めるだけでいいんです。学校に責任を取って欲しいとも比留間先生に謝罪して欲しいとも、私は思っていません」

『それはお人好しが過ぎるだろ』

沢渡屋が呆れた口調になる。

『だいたい、これはお前だけの問題じゃない』

「それは……謝ります。勝手に動いてすいません」

しかし、できることなら外に洩れる前に私だけでどうにかしたかった。電話の向こうの沢渡屋が『まあいいけど』と言う。

『お前が揉めたくない気持ちはわかるよ。まったくお前らしいと思う。だけどな、この件に関しちゃ俺たち全員が、比留間に騙されてたんだぞ。授業もろくにしないで、巧いことだけ言って子供と気分よく金八《きんぱち》先生の真似事みたいなことばっかりやってよ。その上で今回のタイムカプセル事件だ。一度きちんと喝入れてやった方があいつのためにもなるよ』

「だったら、沢渡さんがわざわざ、そんなやつのために時間を割いてやることはない。ああいう人は、たぶん一生直らないですよ」

言い切ると、沢渡屋が一瞬だけ、気圧《けお》されたように黙り込んだ。

熱血教師を気取って引っ込みがつかなくなった比留間の気持ちは、褒められたものではないにしろ、私にはよくわかる。わかっ、てしま、う。

教師だって、所詮は人間だ。

いくら自分を尊敬する子供相手に教室の中に王国を築いていたところで、外に出れば、優しくない大人はたくさん待っていただろう。授業をろくにしていなかったという比留間の所業がどんな形でどこまで周囲に知られていたものだったのか、あるいは隠されていたものだったのかは知らないが、改装中だったとはいえ、管理職からタイムカプセル一つ埋めさせてもらう許可が下りなかったのは、比留間の職員室での評判もたぶんに関係していたのではないだろうか。

卒業というイベントの熱に浮かされて、勢いで子供たちから集めてしまったタイムカプセルのやり場に困り、子供のことだから、実際に成人する時には忘れてしまうだろうと高《たか》を括《くく》ったのかもしれない。自分の異動も重なってしまえば、頭の中は、新しい学校に溶け込むことの方でいっぱいになっただろう。それでもタイムカプセルを自分で処分してしまうことなく、倉庫に残していったのは、たとえそれが、ゴミと一緒にされていたとしても彼の良心と見るべきだと、私は思った。

比留間のことは、どうでもいい。沢渡屋に言った通り、そんなやつのために大事な時間を割きたくもない。

問題は幸臣だ。

「うちの幸臣が、教師になりたいと言ってるんです。小学校の」

タイムカプセルの中に入れた手紙にも、おそらくそのことが書かれているはずだった。

「比留間先生に憧れて、小学生の頃からそう言っていて。――来年には、どっかの大学の教育学部を受ける気でいるんです。今、比留間先生に幻滅したら、その進路を変えるかもしれない。それに、タイムカプセルを掘り出す予定だった二十歳は、受験が順調にいけば大学二年になってる年です。就職活動を考え始めるその時期に、動揺させたくない」

将来かじらせてやるような脛もろくにない親なのだから、自分の食い扶持が稼げるようになって欲しいとずっと思ってきた。夢があるなら結構なことじゃないかと、安心してきた。

「だから、できることなら大ごとにせず、謝ってもらったりしなくてもいいから、幸臣たちには、何もなかったように二十歳でタイムカプセルを掘り出してもらいたいんです」

『比留間をヒーローのままでいさせろってことか？』

沢渡屋が息を詰めて言う声を聞き、ああ、そうか、と思う。ヒーロー。実在しないヒーローを信じるような無垢さは、当の幸臣にはもうないかもしれない。けれど。

「サンタクロースみたいなものだと思ったらどうでしょう。実際にはいないかもしれないけど、とりあえず、いることにしてもらえませんか」

実際のクリスマスを身を入れて祝ってやらなかった身で、どの面《つら》下げて言える言葉だろうかと我ながら思うが、言いながら、自分でもしっくりきた。

実在しないヒーローの効力は、放っておいてもいつか切れる。子供がいつの間にかサンタの不在を知るように。一年きりで終わってしまう戦隊物のおもちゃを欲しがらなくなるように。効力は一時的で、しかもまやかしかもしれない。けれど、まやかしでいけない道理がどこにある。大人が作り出したたくさんのまやかしに支えられて、子供はどうせ大人になるのだ。

「沢渡さんが収まらないと思う気持ちは、よくわかります。だけど、譲ってもらえませんか。タイムカプセルは責任もって私が探し出して、埋めておきますから」

電話の向こうが静かになる。

やがて、沢渡屋が答えた。

『そういうわけにはいかない』

「……すいません」

『お前一人に探させるわけにはいかない。俺も一緒に学校に行く。一緒に倉庫探して、校庭に埋めよう』

「え」

沢渡屋が言った。

『タバコ屋の言う通りでいいよ。比留間や学校に喧嘩を売るのも悔しいがなしだ。剛にまだ言ってなくてよかった』

「ありがとうございます！　助かります」

電話の向こうに向け、見えもしないのに、あわてて頭を下げる。

「嬉しいな。本当は学校にまた訪ねていくの、一人じゃ心細かったんです。沢渡さんが来てくれるなら頼もしい」

私は自分の身近で、こんなにもクレーマーに向いている人間を他に知らない。百人力だ。『よせよ』と、これもまた見えもしないのに、私のお辞儀を見たように沢渡屋が言う。

『ついでに他の保護者にも声かけるか。親父会の名簿、まだあるから』

「まだあのメンバーで定期的に集まったりしてるんですか？」

幸臣が卒業した次の年くらいまでは飲み会の誘いもあった気がするが、いつの間にか声がかからなくなった。あれからずっと続けているのだとしたらさすがだと思って言ったのだが、沢渡屋はあっさり『あ？　まさか。そんなに暇じゃねえよ』と答えた。

『連絡も取ってなかったけど、声かけりゃ何人かは来るだろ。何しろ、中学になってから子供は部活だなんだって急に親の手を離れるからな。俺もそうだけど、小六なんて親父にとっちゃ、親時代の黄金期だ。それを一緒に過ごした仲なんだから、急に声かけても構わないだろ』

「比留間先生のしたことの口止めだけ、お願いします」

『おうよ。わかってるって、サンタの要領な』

沢渡屋が電話を切る。

耳元に嵐が通り過ぎていったような、拍子抜けしたような気持ちで携帯を耳から離し、空を見上げると、月が出ていた。

細く頼りなく痩せた、スイカの皮のような月だ。目を細め、それを眺めた途端、安堵と、それと真逆《まぎやく》の、これでよかったろうか、というふっとした不安のような気持ちが同時に、同じ強さで胸を衝《つ》いた。

沢渡屋が呼びかけた親父の中には、比留間を糾弾したいと思う親だってきっといるだろう。騒がれるリスクを考えたら、やっぱり応援を頼むのは止めた方がよかったのではないだろうかと、今更のように落ち着かなくなる。だけど、空と月とを眺めるうちに、きっと、なるようになるだろう、大丈夫だという気持ちになった。

根拠などない。だけど、あの人たちだったら平気なはずだと、ただ同学年の子供の親だったというだけの付き合いだったのに、そう確信できるのが、とても不思議だった。

沢渡屋から招集がかかったのは、学校がない、土曜日の夜だった。

店のお得意さんだという長浜先生のつてで呼び出したという校長相手に「大ごとにしようって言うんじゃないんだ」と、沢渡屋が低くドスを利かせた声で言う。

「むしろ、大ごとにしないために倉庫を見せてくれって頼んでる。しかもあんたたちに探せってわけでもなく、自分たちできちんと探すって言ってるんだから、願ってもない話だろう?」という申し出は、私からしてみると脅し以外の何物でもなかったが、敵だと思えば厄介な沢渡屋が味方についたことは、心の底からありがたかった。

タイムカプセルを探し、出てきた場合には校庭の桜の根元に埋めることを承諾してもらった。

家族には飲みに行くと言って出てこい、と命ぜられた言い訳は、私の家族には奇異に響いたようで、温子から「お父さんが一緒に飲みに行ける相手なんていないでしょう？」とだいぶ不審がられた。

学校に着くと、薄暗い校舎の前に、結構な数の親父たちが集結していた。何年も会っていないし、同じ町内に住んでいるとはいってもこれまでは町で偶然会うことだってほとんどなかった。当時の全員が来ているわけではなかったが、二十人近く集まった顔のすべてにきちんと見覚えがあった。皆、作業しやすいようにジャージやラフなパーカー姿だ。

「水内さん」と声をかけてくれる中に、小松さんの顔もあって「ああ」と嬉しくなる。

小松さんは、こんな時でもジャケットとシャツ姿で、昔とほとんど変わっていなかった。お嬢さんのユカリちゃんは、うちの中学からそのまま附属高校へ進学したらしい。

「中学からは幸臣くんたちと離れて、これまでの友達と全然会えていないと寂しがっていましたよ」と教えられる。

「しかし、今回のこと、沢渡さんからご連絡いただいて驚きましたが、それ以上に感動しました。幸臣くんの夢を守るために、本当にすばらしい」

「いやいや。そういうと聞こえがよくなってしまいますけど、本当に、進路も決めずにぶらぶらされたら迷惑だし、高校生なんてまだ大人に幻滅したとか言って充分にぐれてしまう年齢だから、不良になられでもしたらと思って」

答えたそれは紛れもない本心だったのだが、小松さんも他の親父たちも「そんなに照れなくても」とか「ご謙遜を」と勝手に私を立派な親のように仕立て上げてしまう。照れ隠しでも謙遜でもないのだが、と肩が自然と前にすぼまる。申し訳なかった。

学校の倉庫は、体育倉庫が四ヶ所と、教材用の場所が三ヶ所あった。

「使える時間は今夜だけだ。短期決戦で行くぞ」

沢渡屋の号令で手分けして探すうちに、これを一人で引き受けなくて本当によかった、と思う。埃《ほこり》をかぶった黴臭《かびくさ》い倉庫内の匂いに辟易しながら作業して一時間が過ぎた頃、校舎の一番奥にあった教材倉庫の方から「あったぞー！」と声が上がった。

校舎と、体育館と、校庭とでそれぞれ倉庫を探していた親父たちの間に、歓声が飛び交った。埃と砂にまみれて灰色になったクリアケースにしまわれた人数分の小箱に書かれた一番上の箱の名前を見て、一人の親父が「うちの子のだ」と呟いた。まだ下手クソな小学生の書き文字を埃の上から指でなぞり、その人が「なんだか、泣けるな」と声を詰まらせ、それから、照れくさそうに笑って、顔を上げた。

中味を開けようと言い出す親父は一人もいなかった。比留間を責めようと言い出す親父も、いなかった。

埋めてもいいと指定された桜の木を、目立たぬよう僅かな懐中電灯の明かりだけで照らして掘り進めていく。硬い地面にスコップを立てる作業は意外に骨が折れ、腰と腕がすぐにだるくなった。これも、一人でやらなくて本当によかった、と思う。

「あの先生の愛情がそれだけ深かったって思われるように、どうせなら徹底的に深く掘ろうぜ」と誰かが言って、笑いが起こる。

「比留間先生も、かわいそうはかわいそうだったんでしょうねえ」と、小松さんがジャケットとシャツの出で立ちに似合わないスコップを構えながら、ふいに話しかけてきた。

「あの人だけが特に悪かったわけじゃないと思うんですよ。ユカリたちの代の六年生は、何しろ一クラスしかなかったから。足並み揃えて監視しててくれる隣のクラスの目もなかったんだろうし、こういうのはね、会社や公金の横領と同じです。どうせバレてしまうんだから、やった人間が結局一番損をする。そのせいで職も退職金も、何もかもをふいにしてしまう人たちを、私のような仕事をしているとたくさん見ます」

言いながら、小松さんがふと私の方を見つめ「うちの銀行の話じゃないですよ」と苦笑する。「ええ」と、私もそういうことにしておこうというくらいの気持ちで頷く。

「だから、上がそういうことができない、抜け道のない仕組みをきちんと用意してあげなければ、本当はいけないんです。環境が違えば、比留間先生はきっといい先生のままでいられたんでしょう。あの先生が授業をほとんどしていなかったという話を、私は今日初めて知りましたけど、それだって、子供にとってみたら、楽しくて仕方なかったから、誰も困ったことだと言い出さなかったんでしょう。勉強しなくて遊んでいていいなら、そりゃあ学校は楽しいですよ」

私は言った。

「でも、学校は勉強しなければならないところですよ」

「楽しくなくてもいいから、誰かがそれをきちんと言わなきゃいけなかったんだと、私は思います」

言いながら、ふと今のは失言だったろうかと沢渡屋たちの耳が気になった。うちの幸臣や小松さんのところのユカリちゃんのように塾に通っていた子供たちはいい。けれど、商店街の子たちは塾に通っていない子が多かったようだし、そのせいで苦労したとも聞いている。

しかし、その時、声がした。

「悪いことばかりじゃないさ」

顔を上げると、沢渡屋だった。作業の手を止め、私の顔をじっと見る。

「お前のとこの幸臣くん、中学になってから、テスト前にはいっつもうちに来て、剛に勉強教えてくれてた。塾に通ってなかった他の子供のとこにも、聞いたら誰かしらがやって来て、小学校でやるはずだった分をおさらいしてくれてたってよ。……それがあの先生のおかげかどうかは知らないけど、うちの学年の子供たちは、確かに言われた通り、団結力があって友達思いだ。みんな仲がよかったよ」

私は知らない話だった。「だからだよ」と沢渡屋が続けた。

「幸臣くんは、たぶん、いい先生になるだろ。剛の勉強見てもらった礼だ。しっかり学費出して、大学通わせてやれよ」

「ああ。……はあ」

はい、としっかり答えるつもりが吐息のような声になった。

「なんだよ、そのなよなよした返事は」と言われたが、今度は正真正銘、照れて、どう反応すればよいのかわからなかったからだった。また「はあ」と答える私に、沢渡屋がさらに驚くべきことを続ける。

「幸臣くんが先生に憧れるのは、比留間もだけどお前の影響だろ」

「え？」

そんなはずはない。否定しかけた私に、沢渡屋が首を振る。

「だって、言ってたぞ。昔、商店街でキャンプ行って、お前が途中で仕事だって帰った時」

そういえば、家族サービスに時間を取られる煩わしさから、沢渡屋たちに後を頼んで引き上げた年があった。後ろめたい気持ちで「ありましたね、そんなこと」と答える。

「『俺じゃなきゃわからない緊急の用だ』って帰ったのを見て、幸臣くんが自慢してた。俺の父さんじゃなきゃわからないことが大学にはたくさんある、その道のプロってのはかっこいいんだって」

息を吸い込み、そのまま止めた。衝撃が言葉にならない。

「小学校と大学とじゃ違うかもしれないけど、幸臣くんはきっと、どの道だとしても、い、いい、そういうプロになりたいんだろ。だったらきっと比留間と違って、熱血教師になるにしたって本物の、プロの熱血教師になる」

――あの時は、学生から電話があったことを言い訳に、これ幸いと帰っただけで、本当だったら合い鍵の場所なんて警備員でも、他の事務員でも事足りることだった。だけど、――そうか。

不真面目な父親だったが、私は、少なくとも当時の幸臣に嫌われてはいなかったのか。

一メートルほど掘り進んだ穴の中に、クリアケース型タイムカプセルを入れる。

土をかぶせてしまうのが名残惜しかった。

家に帰れば、おそらくはみな高校生の息子や娘とすぐに会うことができる。しかし、この顔ぶれで集まってしまうと、これを埋めてしまったら小学校時代の我が子と別れるような、妙な寂しさがあった。

小学校卒業から二十歳までの、八年間を眠るタイムカプセルが子供にもたらすものや、残すものなんてそう大きくはないだろう。何より、それを開封するのは今よりさらにかわいげを失っているであろう、二十歳の大人だ。昔の自分の宝物や手紙を受け取ったところで一笑に付して終わりにしてしまうかもしれない。そもそも小学生の時にだって、真剣に書いた子供がどれだけいるだろう。こんなふうに夜中集まった親父たちの努力が空しくなるくらい、当人たちにとったら、取るに足らないどうでもいいことなのかもしれない。

だけど、それでもよかった。

クリアケースに土をかけ、地面を元通り固めながら、下に沈めたタイムカプセルに思いを馳せる。俺たち親父が今夜楽しかったんだから、それでいいじゃないか。

見上げると、僅かな明かりだけで、だだっ広い校庭から見る星空に、この間より随分と丸に近づいた月が浮かんでいた。


それから、三年後。

幸臣たちの成人式に、私たちは比留間からだと、タイムカプセルを埋めた場所を書いた紙を子供たちの代表に渡した。

成人式の日の午後、幸臣はクラスメートたちと一緒にタイムカプセルを掘り出し、中に入っていた自分の小箱を手に家に帰ってきた。

『二十歳になった僕は、先生になっていますか?』

十二歳の自分が書いた文章を見て、幸臣は「先生なんてまだなってないって」と苦笑していた。

7

あんな手紙がなくとも、どうせ幸臣は同じように今日の初出勤を迎えただろう。

だけど、そうか、と思う。八年眠ったタイムカプセルを開封してから、二年。ということは、幸臣が小学校を卒業して、今年でちょうど十年だ。

――しかも、よりにもよって、比留間と同じ学校になるとは。

二人が顔を合わせるところを想像すると、思わず、口元に笑みが浮かんだ。埋めた覚えのないタイムカプセルを掘り出した話を聞く機会も、これからあるかもしれない。十年前の比留間は、自分があの時受け持ったクラスの子供が再び自分の前に今度は大人として現れる日のことなんて、想定もしていなかったろう。

吠え面かくなよ、と普段では口にしない語彙《ごい》が口をついて、はっとなる。でも、思ってしまう。

吠え面かくなよ。

お前なんか比べものにならないほど、うちの幸臣は立派な教師になるはずだ。プロの教師だ。

実際の幸臣は草食系で、マザコンかもしれないし、いかにもまだ頼りない。だけどきっと、自分が卒業させた子供たちからの誘いを気まずい気持ちで断るような教師にはならないはずだ。

縁側から外を眺めながら、知らず知らず、顔がにやけていた。気がつくと、そばに温子が来て電話の子機を差し出していた。

「あなた、沢渡さんから電話。今夜の親父会のことだって」

「ああ」

携帯に連絡がつかないと、沢渡はよくこうやって家の方に電話をかけてくる。案の定、「もしもし」と電話を耳にあててすぐ、『携帯はどうした』と文句を言われた。

今夜の参加人数の確認を終えて電話を切ると、温子が「よくやるわよね、親父会だなんて」と苦笑しながら子機を受け取る。「まあな」と私も答えた。

タイムカプセルを埋めた夜から、なんとなく再開した親父会の集まりは、時々間隔を挟みながら、それでも途切れることなく月に一度の頻度で続いてきた。もちろん強制じゃないし、全員が毎回集まるわけでもない。子供のイベントという共通の目的もなくなった親父会は、今や単なる飲み会だが、不思議とやめようという空気にはこれまで一度もならなかった。職場での人付き合いの悪い私にとっては、ほとんど唯一の社交の場だ。

幸臣が初出勤した話をすれば、みんなどんな顔をするだろうか。それとも、自分たちの子供の就職に一生懸命で、人の子供の話どころじゃないだろうか。

沢渡屋の剛くんは、大学の途中から店を継ぐのではなく、バンドをやりたいと言い出したとかで、沢渡屋は「お菓子屋と歌手を両立させちゃダメなのか」と盛大に喧嘩したと言っていた。どうなっただろう。

縁側から家の中に戻ろうとした温子が、その時、ついでのように「あ、そうそう」と私を見上げた。そして、「親父会って、ユカリちゃんのところの小松さんも入ってる？」と尋ねてきた。「ああ」と私が答えると、次の瞬間、温子が驚くべきことを口にした。

「つきあってるみたいよ。幸臣と、ユカリちゃん」

ツキアッテル、というのが、まるで初めて聞く知らない言語のように聞こえた。目を瞬き、そのまま、今度は見開く。

私を驚かせたことに満足したように、温子が笑った。

「尤《もっと》も、私も幸臣から直接聞いたわけじゃなくて、沢渡さんが剛くんから聞いたっていう話の又聞きだけどね。結構前からみたい」

「なんでまた」

ユカリちゃんは大学も、高校からそのまま私の大学の法学部に進んだと聞いていた。東京の大学に進んだ幸臣とは接点などないものと思っていた。そう言うと、温子が「成人式」と答える。

「あの子たち、午後からタイムカプセルを掘りに行ったじゃない？　その時出てきた幸臣の手紙に『ユカリと結婚してますか』って書いてあったんですって。周りの子たちに見つかってからかわれて、それからなんとなくお互い意識して会うようになった。よかったじゃない。こっちに戻って就職することにしたのだって、きっとユカリちゃんがこっちに残ってたからなんでしょ。単純よね」

「……ほお」

あの野郎！　と危うく声を出しかけた。

教師の夢のことだけしか口にしなかったくせに、ちゃっかり、好きな子のことも書いていたんじゃないか。

タイムカプセルを眠らせた期間は、八年間。

だけど、それ以上の時間が、そこから思いがけない形で繋がっていくこともある。それこそ永遠に近い時間の中味を決めてしまうことだって、きっとあるのだ。たとえば、幸臣が好きな女の子と付き合うこと。そのために、私たちの家に帰ってくる選択をしたことだって、その一つだ。

頼んでもない、と本人たちは言うだろう。だけど、タイムカプセルの八年間を守ることができたことは、親父会の功績だ。それを〝守る〟という言葉で表現してしまえる自分のことも、私はとても好きだと思った。

ふと顔を上げると、よく晴れた空に温かな匂いがした。

春だ。

新しい風に運ばれるようにして、ふっと幸臣たちの学校の桜の姿が、瞼の裏に流れた気がした。

トシ&シュン

万城目学

その一

やあ、はじめまして。

わざわざ鳥居前までお出迎えいただいて、まこと恐縮です。

　ぴったり、時間どおり？　いや、それはもう。こうしてしばし居候《いそうろう》させていただくわけだから、そのあたりはきちんとしておかないと。ほら、ときどき、あるでしょう？　柏手《かしわで》を打つとき、どうにも手と手が合わず、ぴちゃって何とも気の抜けた音が聞こえてくること。せっかく願い事を受けてあげようかな、とこっちは気合い入れて待っているのに、がっくりきちゃう。何事も最初が肝心なのですわ。え、後ろについてきてるのは誰かって？

あ、失礼。

どうにも、テンションが上がっちゃって、申し訳ない。お恥ずかしい。これは私の助手。助手というか、書記。いや、違うな。本当は本を書いているフリーランスのライターなんだけど、もう少し、材料を集めなくちゃいけないってことで、こちらにもついてくることになったわけです。え？　何の本かって？　いやいや、別に大したものではなく、私のような下っ端の働きを紹介する本を出したい、なんてことを以前言われて、それからの付き合いなのですわ。まあ、そのへんの事情はおいおい説明するってことで――。それよりも、さっそくなのですが、仕事の内容を教えていただけたら、と。

はい、当方は「縁結び」の神でありました。

こぢんまりした神社でありましたが、縁結び一本、ざっと千年のお勤めを果たしてきたところであります。

そちら様もそんな感じで？　ほほう、こちらで一千と百年。あら、だいたいいっしょじゃない。ほぼ同期って感じじゃない。なら、こんなしゃちほこばって話さなくてもいいかな――。

あ、顔色が変わった。

機嫌が悪くなると、周囲の黄色が急に暗くなるタイプだ。こわいこわい。

ゴホン、失礼しました。

親しき神にも礼儀あり。調子に乗って、不愉快な思いをさせてしまい、申し訳ありません。はい、改めまして、お勤めの内容をお聞かせいただきたい。とにかく、急な話だったもんで。上役のほうからすぐに行ってこい、ずいぶんな繁忙期に入るからとだけ聞かされ、慌てて参ったもんで。

あ、なるほど。

こちらは「学問」の神社でありますか。あと「芸能」。ははあ、それでこれからの二月、三月の受験シーズンは特に忙しくなるわけですな。いったい、どのくらいの仕事をこなすのですか？　え、二？　ということは、二百ですか。違う。じゃあ、二千だ。まだ、違う。まさかの二万。

驚いた。

こいつは、驚いた。

二十万、でありますか。

え？　それ、本当？

本当。ほう、今は幼稚園からお受験があって、対象の低年齢化が進んでいるうえ、社会人になっても資格だ、社内の選抜だで、いくつになっても試験はついてくる。むかしみたいに、高校・大学受験をメインにのんびりやってりゃ済む時代じゃない。それに本人だけじゃなく、親兄弟や、親戚、友人が絵馬で願い事を置いていくから、それが積もりに積もって、えらい数になる——。ひゃあ、聞いているだけでたいへんだ。

絵馬については、当方もほら、縁結びだったものだから、よくわかります。あれの面倒なところって、やっとこさ「さあ、あんたたちの順番だよ」ってときに、別れちゃってるのがいることですな。そんなさっさと別れるくらいなら、最初からお願いにくるな、って話で——。え、そんな悠長には構えてられない？　試験日という明確なリミットがあって、それまでに仕掛けなければいけない——。こいつはうっかり。そりゃ、そうだ。

いやはや、みなさん、激務ですなあ。

どうして、こちらにヘルプに向かうよう言われたか、ようやく得心いたしました。短い期間とはいえ、私も微力ながらお手伝いしたい。

え、いらない？

ええと、それはどういう……。

私には「学問」じゃなくて、「芸能」のほうを見てほしい？　ノルマに達することができるかどうかの瀬戸際だから、とにかく「学問」のほうに集中して数を稼ぎたい、合格発表シーズンが来てひとまず落ち着くまで、芸能のほうを任せておきたい、だからへルプをお願いした――。

承知。

承知であります。ノルマ達成の苦しさ、かき入れどきの殺伐とした空気は、私も例年クリスマスやバレンタインデー周辺のてんやわんやぶりを通して、嫌になるくらい経験しています。不慣れなところもありましょうが、一千年の経験を存分に発揮して、お役に立ちたい。

ところで、その……少々野暮な質問でありますが、あ、さすがお察しがよい、まさにそのことで。私のほうの取り分と言いますか、配分はどれほどのもので。上からは、現地で話し合いで決めるものだから、と言われてまして。でも、だいたいはフィフティ・フィフティでまとまるなんてことも聞いたのですが――。

七と三。

ええと私が七。

違う。そちらが七で、私が三。

あっと、厳しい。

これは、たいへん厳しい。

え？　ウチは結構名が知られているから、人間の母数が余所より断然多い。それに近くに競合する神もいないから、いくらでも声がけできる。だから、その配分でも十分に実績を作れるはずだ、と？

いや、それでも……、実は私もなかなか厳しい懐事情がありまして、三というのは、さすがにご無体な数字かと。

え？　もうひとつ、ウチで働くに際して条件がある？

はい……何でしょう。

仕事を進める際は、ウチのやり方に従ってもらいたい？　あ、それはもう。郷に入れば郷に従え。もちろん、やり方さえ教えてもらえれば、いくらでも。こう見えても、柔軟な成就を導くことに関しては、なかなか定評がありまして。

ふむふむ。

ほう……。

それは、また――思いもしないというか、斬新というか、それなりに経験のある私でも聞いたことがないやり方です……な。

ええと、ひとつだけ確認。それ、違反してない？

なるほど、なるほど。ええ、ごもっとも。別にそういうつもりで言ったわけじゃないから、気に障ったらごめんなさい。そうなんだ。むかしから認められている手法なんだ。

いや、私のところは縁結びだったものだから、あまりそういうやり方はそぐわないというか、そもそも、やる意味がなかったもんで。

へえ、こっちの界隈、特に芸能のあたりでは、別にめずらしいやり方じゃない？　それどころか、やったぶん実績も上積みされる？

わお。そういう仕組みなんだ。

じゃあ、取り分が三といっても、実質的には二倍、三倍になるかもしれないってこと？

それは、やる気出てきた。

俄然、やる気出てきた。

いつから、お手伝いしたらいいかな？　別に今からでもＯＫ、試しにそこの鳥居の脇に立っている男なんていいんじゃないか、って？　でも、芸能に関係した願い事を持っているかどうか、わからんですぞ。縁結びのほうは、二人で仲よさげに歩いていたら、ほぼ間違いないところですが。ほほう、ここで千年以上勤めたから、匂いを感じ分けることができる。お見事、それはまさしく、たゆまぬ神通力研鑽《けんさん》のたまものですな。なら、さっそく、声がけしてみようかしらん。

ところで、あんた――、あ、失礼、こっちの助手のことで。さっきからずっと黙っているけど、あんたはどうすんの？　また私にくっついてルポを続けるつもり？　あ、そうなんだ。別に構わないけど、こっちの邪魔だけはしないでね。それと、今回の分け前はないから。私にもそんな余裕ないから。

あ、怒った。

赤がどんどん強くなる。

何だか最近、あんた急に自己主張が強くなってきたね。はじめて、私のところにやってきたときは、そんなじゃなかった気がするけど。

まあ、いいや。では、さっそくお勤めを開始しますか。え、声がけに際し、ウチでは決まり事がある？　そういうのは早く言ってもらわないと。ふむふむ。なるほど……。

あのう、もういっぺん確認させてもらっていい？

それ——、本当に違反してないよね？

その二

ある冬の日暮のこと。

鳥居を背にして、ジャンパーのポケットに両手を突っこみ、一人の若者がぼんやりと薄雲が棚引く空を見上げていた。

若者の名はトシという。もうずいぶん長い間、鳥居の前から動かないでいる。ちらりと腕の時計に目をやり、あと少しで待ち合わせの時間であることを確かめてから、彼女に何と言ったらよいだろう、と改めて重い気分で、少しずつ色が沈みゆく空を仰いだとき、二人が付き合うと決まって真っ先に考えたことをひさしぶりに思い出した。

「このまま、もしも彼女と結婚することになったら、妙なことになってしまう」

我ながら馬鹿な心配をしたものだ、と今となっては苦笑するしかないが、そんな先走ったことを考えたのも、二人の名前が特別な関係にあったからだ。

彼の名前が「俊」と書いて「シュン」であるのに対し、彼女の名前は「瞬」と書いて「シュン」と読む。互いにシュンと呼ぶのも変なので、自然と男のほうが「トシ」と呼ばれるようになった。それでも、もしも結婚して彼女が男の姓を名乗るとなると、同じ「斉藤《さいとう》シュン」が並ぶわけで、どうにもくすぐったい気持ちになってしまう。

だが、そんな戸籍上の空想をいくら弄《もてあそ》んだところで、未来ははるか遠い。今のトシにはまったく己の未来が描けない。二人のことなど、さらに深い霧の向こうだ。

腹の底から長いため息をついて、ポケットから手を抜いた。寒さで固まってしまった肩を、二度、三度回し、ほぐしてみる。それから頬に触れてみた。ようやく血の気が引いていたのが戻ってきたようだ。これまで何度も経験したことでも、今回はさすがにこたえた。なぜなら、この挑戦が駄目だったら、彼は小説家を目指すことをあきらめようと思っていたからだ。半年以上かけて書き上げ、小説新人賞に応募した作品は敢えなく落選した。本屋で結果が記された雑誌に目を通し、自分の名前がないことを確認した瞬間、男は脳味噌の真ん中がすこんと落ちたような感覚に襲われた。

どうにも足元に力が入らぬまま本屋をあとにして、神社に向かうまでの間、トシの頭の中を、これから何をして働こうか、というクエスチョンがぐるぐると回っていた。しかし、何かを考えているつもりでも、実のところ何も考えていない、いや、何も考えられないのだった。もしも、今度の応募で結果が得られなかったときは、大学を卒業後ずっと続けていた、コンビニでのアルバイトをやめて就職する、と強く決めていた。もう、トシは二十七歳だった。

別にシュンと結婚しようと思って、小説家への道をあきらめるのではない。これまで結婚の話題が二人の間に上がったことはないし、シュンがそれを望んでいるかどうかもわからない。それでも、己のけじめとして、いつまでもだらだらと夢ばかり追ってはいられない、と己の才能と人生の時間を天秤にかけ、敢えて期限を定めた。そして、残酷にも期限切れが訪れたのだ。

間違った決断とは思わない。だが、とてもさびしい決断だった。次はないのに、こうしてシュンを待ちながらも、ともすれば次に何を書こう、といくつかあるストックのなかから無意識のうちにチョイスしているのが、どこまでも滑稽《こっけい》だった。

「お待たせ」

いきなり横から声をかけられ、驚いて顔を向けると、そこにシュンがいた。

「どうしたの？」

いや、とトシは頭《かぶり》を振った。また頬の肉がこわばってきた。彼女は今日、結果が掲載された雑誌が本屋に並ぶことを知っている。やはり、真っ先に伝えるべきだろうと、

「駄目だった」

と男は正直に告げた。

そっか、とシュンは首に巻いたマフラーの端をつまみ、二度、三度と回してから、

「残念だったね」

とつぶやいた。

「俺、働くわ」

目を合わさずに、かすれた声を発するトシを見上げ、

「ねえ、もう一度、チャレンジしてみたら？」

とシュンはマフラーをいじる手の動きを止めた。「え」と思わず声を上げ、男は彼女の顔をまじまじと見返した。

「トシがこれを最後にする、って言っていたことは、私も覚えている。でも、本当はまだ書きたいんでしょ？」

そりゃ、と口が開きそうになるのを、たった今、働くと決めたばかりじゃないか、とトシは慌てて止めた。

「ただし、条件があるの」

手から垂れ下がったマフラーの端で、女はふたたびふわりと円を描いた。

「私の言ったとおりに、お話を書いてほしい」

しばし無言で見つめ合ったのち、

「何を——書けって言うんだよ」

とトシはまだかすれが残っている声で訊ねた。

「それはこれが決める」

はい？　と裏返った声を発するトシの背後に立つ鳥居の柱に、なぜかシュンはぱちんと音を立てて、手のひらを置いた。

「思うに、これまでのトシの話は、題材の選び方がちょっとズレていたんじゃないかな。

いや、ズレていたというより、自分に近すぎるって言うの？　だから、読み手にはズレて感じられちゃう。だって、読者は他人であって、トシじゃないもの。もう少し読み手に合わせたものを、ううん、合わせるってのは違うな――、何て言うのかな、これまでみたいな狭いお話を書くんじゃなくて、もっと広いお話を書くべきだ、と思うの」

いつものトシなら、何年も苦闘してきたことを根こそぎひっくり返すような指摘を受け、決して心穏やかに聞いてはいられないはずだが、あまりに突然の相手の変貌に、呆気に取られてその口を見つめるばかりだった。これまで、いくら書いたものを読んでくれと頼んでも、読書の習慣がほとんどないゆえか、短い作品でもなかなか読み終わらず、よしんば読了したところで、

「よくわかんないけど、おもしろかった気がする」

くらいの、はなはだ不明瞭な感想しか返ってこなかったシュンである。

「これまで書いたやつを、思い返してごらんよ。どれも、何だか似ているでしょ。話の流れというか、色が」

「そりゃ、同じ人間が書くんだから、そうなるだろ」

「それって題材を選ぶとき、どうしても自分が書きやすいもの、好きなものに目がいっちゃうからでしょ？　それを敢えて、まったく思い入れがないものにしてみるの。そう

することで、自分に近づきすぎないようにする。もっと読者に近い位置で書いてみる」

やけに筋が通った鋭いアドバイスに、「ふむ」とトシもつい腕を組む。

「でも、この鳥居がどう関係あるんだ？　何で、これが決めてくれるんだよ」

「明日の今ごろ、この場所にもう一度立ってみて」

「だから、何で」

「ほら、鳥居の影が伸びているでしょ？　あのてっぺんの部分、あれ、笠木《かさぎ》って言うんだけど、あの笠木の影を踏んだものを、題材にして小説を書いてみる」

何だ、それ？　と呆れた声を上げる男に、

「別に困ることなんてないじゃない。本当はこれでおしまいになるはずだったんだから。最後に一度くらい、私の言うとおりに書いてよ」

とシュンは今も手元でふわふわと回しているマフラーの端を、「これ、うまくいくおまじない」といきなり男の顔にぶつけてきた。鼻先をこすっていく、やわらかい繊維の感触から逃げ、男は日暮の光を受け、参道に伸びた鳥居の影を目でたどった。

「ねえ、お腹空いた。スパゲッティ食べに行こう」

先に歩き始めたシュンを追って、「ああ」と鳥居から離れたとき、いつの間にか頬のこわばりが消えていることに、男は気がついた。

＊

翌日、男はふたたび日暮どきに鳥居前にやってきた。

いったい自分は何をやっているのだろう、と馬鹿馬鹿しく感じるところも大だったが、コンビニのアルバイトのシフトは夜からで、まだ時間もあることだし、とのこのこ来てしまった。

天気は昼間からの快晴である。だいぶと傾いた陽の光に押し倒されるように、鳥居の影は地面に太く長い線を描いていた。あの鳥居のてっぺんにのった、横木の影を踏んだものを書け、と彼女は言った。それにしても、よくシュンはあの横木の正しい呼び方が「笠木」だと知っていたなと思う。昨夜、その聞き慣れぬ言葉について調べ、彼女の知識が正確だったことを目のあたりにし、大いに驚いたトシである。

昨日と同じく鳥居の柱を背にして、男はそれとなく四方に注意を払った。この時間、鳥居前の歩道の人通りはめっぽう少なく、さらに影が伸びている参道に至ってはいっさい動くものが見当たらない。これは書こうにも、何も材料がないではないか。まさか、「無」を書けというわけじゃないよな、といよいよ馬鹿馬鹿しくなって空を仰いだとき、不意に黒いものが視界を横切った。

そのまま参道の石畳の上に降り立った黒い影を、無意識のうちに首をねじって目で追った。カラスだった。こちらに尾を向け、くちばしには白いビニール袋をくわえ、ちょんちょん、と跳ねるように石畳を進んだのち、急に首を回した。

鈍く光る、小さな目玉と明らかに視線が合った。ポトリとそのくちばしからビニール袋が落ち、「カ」と短く鳴いて、カラスは地面を蹴り、羽ばたいた。それは袋を「お前にやるよ」と残していったようにも思えたし、単に人の気配を警戒して飛び去っただけにも見えた。

しばらく鳥居を背に突っ立ち、男はまさしくシュンが指定した場所、笠木の影の上にちょこんと置かれた、口を縛られた白いビニール袋を見つめた。あまりに出来すぎた展開に思えるが、カラスが舞い降りて影を踏み、さらに物を放置していったのは紛れもない事実である。

袋のサイズは小さいが、その膨《ふく》らみ具合から、中に何か入っている様子である。トシはたっぷり三分は逡巡してから、放っておいてもゴミになるだけだから、と言い訳をこしらえて鳥居を離れた。

袋を拾うべく二歩、三歩と踏み出したときだった。

「――――ったく、誰じゃいッ」

としわがれた声が放たれ、杖をついた老人がせわしげにトシの視界に割りこんできた。白いビニール袋の手前で足を止め、老人は杖の先で表面をつついた。

「あんたかい」

「い、いいえ、ちがいます」

とトシは慌てて首を横に振る。その声が届いているのか、いないのか、「フンッ」とことさらに鼻を鳴らして、老人は腰を屈《かが》めビニール袋を拾い上げると、肩を怒らせたまま境内へと進んでいってしまった。

ちょうど鳥居の影の真ん中にぽつんと取り残された格好で、トシは老人の後ろ姿を見送った。もう、ここに長居する気になれず、ポケットに手を突っこみ、鳥居を潜《くぐ》って通りに出た。コンビニのバイトが始まる前に、何か食べておこうと駅前に向かう間に、シュンに電話した。

「どうだった？」

やけにうれしそうに出た相手に、「どうもこうもない」とトシはカラスが袋を持ってきたこと、老人がそれを拾って立ち去ってしまったことを、ありのまま伝えた。

「それ、私が言った影のところで起きたの？」

「そうだよ」

「じゃあ、そのカラスと、ビニール袋と、おじいさんが出てくる話を書きなよ」

あまりにあっけらかんと返ってきた言葉に、

「そんな簡単に書けるはずないだろ。だいたい、ビニール袋の中身だってわからないのに」

と苛《いら》立《だ》ちを抑えながら応えるや、

「じゃあ、ミステリーっていうの？　中身がわかんない、何だろう、って話にしたらいいじゃない」

と間髪を入れず彼女の声が届き、「じゃ、これからリハーサルなんで」とあっさり電話を切られてしまった。

一人で夕食に牛丼をかきこんでから、コンビニのアルバイトに向かった。レジに立っているときも、おにぎりを棚に移しているときも、古い雑誌を抜き出しているときも、新たな肉まんとピザまんをスチーマーに補充しているときも、気がつくと「カラス」「白いビニール袋」「杖をついた老人」を使って、何か話を組み立てられないか考えていた。

これまで彼が書いてきた小説は、いずれも自分と同世代の男が登場する、どちらかと言えば「動」より「静」が勝る話が多かった。そういうものが、得意だと思っていた。

たとえば、白いビニール袋の中身が何か、といった「謎」を話の中に仕掛けることなんて皆無だったし、そもそもそういう話は自分にはまったく無縁のもの、苦手なものと思いこんでいた。

でも、これで最後なのだ、今さら苦手も何もないではないか、とトシはスチーマーの最下段にイカスミまんを押しこみ扉をぱたんと閉めた。そのとき、不意に頭の中で、まるで外から撃ちこまれた砲弾が炸裂したかのように、「カラス」「白いビニール袋」「杖をついた老人」を使った小説のアイディアの芽がぐんぐんと育ち、展開し始めたのである。

それから、二カ月かけて、トシは一本の作品を書き上げた。

カラスと名乗る連続殺人犯を追う刑事。事件のたびに、犯行現場に残される謎の白いビニール袋。常に現場付近で目撃される杖の老人。謎が謎を呼ぶ展開を散々繰り広げたのち、カラスの習性を利用した犯行が明らかにされていく。老人の正体は、実はカラスへの餌付けを趣味とする独り身の男性であり、この老人を利用して犯人はカラスを一箇所に集め、被害者を足止めする計画を実行するのだ。白いビニール袋には、ある一定の温度になるとフェロモンが放出され、事後は何も残らないよう工夫された餌が入っていた――。

ミステリーを書くのは、生まれてはじめての経験だった。果たして、事件にまつわる構成やアイディアが上等なのかどうか、トシには判断がつかなかった。ただ、老人の孤独であったり、刑事の家族の理解を得られず、孤立しがちな日常の部分に関してだけは、これまで書いてきた小説で培《つちか》った丁寧な描写で埋めることを忘れなかった。

小説を応募して、二カ月後、コンビニのアルバイトに向かおうと家を出たところへ、見知らぬ電話番号から通知があった。誰だろう、と訝《いぶか》しげに出たトシの耳に、出版社の編集者を名乗る男性が、応募した『カラスデスカラス』が見事、小説新人賞の大賞に輝いたことを告げた。

＊

とうとう、デビュー作の見本が刷り上がったとき、半年前に受賞の電話をくれた芥川《あくたがわ》という、たいそうな名前の編集者は、

「今だから言いますけど、斉藤さんが受賞できたのは奇跡でした。ほとんど、神懸かりと言っていい。下馬評では最終選考に残った作品のうちで、いちばん評価は低かったんです。それが、なぜか他の作品が討議のなかでお互いの欠点をあげつらうかたちで落ちていって、最後に斉藤さんが残った。僕はこの作品、決してレベルは高くないと思う。

アイディアも荒削りだし、詰めも甘い。でも、出てくる人間と文章がいい。器のかたちはいびつだけど、ちゃんとその中が意味あるもので満たされている。だから、どんどん書いてください。器のかたちは鍛えれば鍛えるほど、よくなるから」

と手厳しい言葉とともに、トシを世に送り出した。

トシはすぐさま次の作品に取りかかった。

デビュー作よりもよいものを書かねばならないプレッシャーは、ときに吐き気を催すほどきついものだったが、人に依頼されて書くという、今までと百八十度異なる環境は、彼をこの上なく奮い立たせた。

デビューを前に改めて男が思い知ったのは、いかに自分の視野が狭まっていたか、ということだ。まさに、シュンが指摘してくれたとおり、自分が得意だと思う題材を選ぶことで、さらなる深みを表現していたつもりが、実際は自分の楽なほう楽なほうへと流れていた。彼女に提示された、メチャクチャとも言える題材を選んだおかげで、トシは小説というものの自由さにようやく気がついたのだ。

シュンには、デビューが決まって、いのいちばんに感謝の言葉を贈ったが、なぜか彼女は「そんなこと頼んだ覚えはない」と鳥居の一件について知らぬ存ぜぬの一点張りでとぼけ続けた。まあ、それもシュンらしいと思い、以後、その話題に触れることはなかったが、シュンが自由な世界に自分を引っ張り出してくれたことは、疑いのないことだった。

もっとも、デビュー作はほとんど売れなかった。

コンビニでアルバイトを続けながら、ここで脱落したら元の木阿弥《もくあみ》になると、トシは石に囓《かじ》りつく思いで二作目の執筆に励んだ。芥川は「もっと、その器を選んだ理由を考えて」と、出来上がった作品に対し、何度も推敲《すいこう》を促した。やっと完成した二作目は、デビュー作よりも少しだけ売れた。まだアルバイトを辞めることができぬまま、トシは次の作品を書き上げた。三作目が世の本屋に並んだとき、トシはすでに三十歳になっていた。

コツンと小さいながらも、確かなヒットの手応えがあった。はじめて書評が新聞に載った。さらには、連載の仕事が舞いこんだ。

いよいよ連載が始まるのを前に、トシはついにアルバイトを辞め、筆一本に賭けることを決断する。

その後、トシはひたすら書き続けた。デビューしてから十二年、数えて十作目の小説を出したときだった。トシは誰もが知っている大きな文学賞を受賞する。その受賞記者会見にて、多くのテレビカメラと記者たちの前で、トシは開口一番こう言った。

「一度はあきらめかけました。本当に夢みたいです」

その三

はい、どうもどうも。

あんたも、お疲れさま。とりあえず、片方はこれで完了だね。

いやはや、こういうやり方ははじめてだから、どこまでそのままを保って、どこまで力を添えていいのか、迷っちゃったよ。あんたも、こういうのはじめて？　そうなんだ。あちこち取材で回っていても、滅多に見ないやり方なんだ。でも、その割にはずいぶん慣れた感じだったけどね。特に打ち合わせることなく、あんな具合に姿を変えられるんだから。

だいたい、あんたいつも本を書く書くって言っているけど、いつになったらものが出るのさ。この前会ったときは、しばらく休暇だとか呑気なこと言っていたのに、急に切り上げて強引についてくることになったのも、いい加減、本を出さないとマズいと危機感持ったからでしょ？　だったら、さっさと書き始めなさいよ。今の彼に比べても、あんた、全然真剣さが足りないよ。さすがに人間に負けたら、マズいでしょうよ。

そうそう、ところで、あの白いビニール袋の中身って何だったの？　今まで特に気にならなかったけど、ここに来たときから、そこのところに袋をぶら下げているよね――、ほら、その袋。それがあのビニール袋だったわけでしょ？　商売道具？　へえ、ライターの商売道具なんてあるんだ。ちょっと見せてごらんよ。あ、消えちゃった。おお、いつの間にそんなところに。相変わらず、力の使い方が器用だなあ。

まあ、そんなことより、次は女のほうだね。

また同じやり方でいけばいいって？

あんた、ときどき、ものすごくいい加減なこと言うね。まあ、私だって人のこと、とやかく言えないけど。いや、私よりも、上役のほうがずっとひどいかな。聞いた？　あんたが前に覆面調査官として提出した、私の調査書のその後。おかげで上役のみなさんの覚えもよろしく、スムーズに昇進できそうなんて話を耳にしていたんだ。それが、いざ連絡がきたと思ったら、ここでヘルプの仕事をしろ、だよ。ひどい話と思わない――？

あれ、何してるの？

ひょっとして、もう次の準備に入ってる？　働くねえ、あんた。分け前はあげないって言ったのに、何でそんながんばってるの。まさか、このヘルプの内容も報告書にまとめて、上に提出するつもりじゃないだろうね。あ、時間を一年、進められた。まったく、せわしないなあ。

仕方ない。

もう一方も始めますか。

その四

ある冬の日暮のこと。

鳥居を背にして、細かく足踏みをしながら、一人の女がぼんやりと薄雲が棚引く空を見上げていた。

彼女の名はシュンという。もうずいぶん長い間、鳥居の前から動かないでいる。ちらりと腕の時計に目をやり、あと少しで待ち合わせの時間であることを確かめてから、彼に何て言おうかな、と改めて重い気分で、少しずつ色が沈みゆく空をふたたび仰いだとき、二人が付き合うと決まって真っ先に考えたことをひさしぶりに思い出した。

「このまま、もしも彼と結婚したら、何だか笑っちゃう」

我ながらヘンな心配をしたな、と今となっては苦笑するしかないが、そんな先走ったことを考えたのも、二人の名前が特別な関係にあったからだ。

彼女の名前が「瞬」と書いてシュンであるのに対し、彼の名前は「俊」と書いて「シュン」。これだと互いに名前が呼びにくいので、彼女のほうが勝手に、彼をトシと呼ぶことに決めた。それでも、このままもしも、結婚して彼女が彼の姓を名乗るとなると、「斉藤シュン」が並ぶわけで、どうにもくすぐったく、笑っちゃうしかない。

もっとも、「フルネームで名前を呼ばれたときに、いっしょに返事しちゃったら、まるでコントだな」なんて空想をいくら弄んだところで、未来ははるか遠い。今のシュンにはまったく己の未来が描けない。二人のことになると、もはや霧の彼方である。

腹の底から長いため息をついて、手袋をはめた手で頬をさすった。昨日じゅうに、オーディション結果の通知があるはずだった。しかし、スマホの着信音は一度も鳴らぬまま、朝を迎えた。何かのトラブルで向こうが連絡できなかった、自分のスマホが一時的に壊れていた、挙げ句が、携帯会社の中継基地にトラブルが生じたのかも——、と疑いの芽は眠れぬ時間とともに、どんどん大きくなっていく。明け方ようやく眠りに落ち、目が覚めてハッとしてスマホを確認する。当然のように、何の変化もない画面を見たとき、ようやく「駄目だった」と悟るのだ。

これまで何度も繰り返してきた光景だった。

だが、今度はただの終わりじゃなかった。

このオーディションに合格しなかったら、もう芝居の道はあきらめる。そう、決めていた。短大を卒業して、すでに四年が経った。劇団に入ったり、辞めたり。また新しい劇団の立ち上げに参加したり、辞めたり。居場所はなかなか定まらなかったけれど、演じるということから離れずにいた。レンタルビデオ屋のアルバイトをしながら、劇団の公演チケットを捌《さば》き、何とかお金のやりくりをして舞台に立ち、一方で映画やテレビのオーディションを受けてきた。でも、そろそろ限界だった。いつまで経っても先が見えぬ毎日に、悲しいけれど、疲れてしまった。

この道をあきらめるという決断を、まだトシには言っていない。

トシとは、互いに目指すものについて口出ししないという暗黙の了解があった、と彼女は思っている。演劇の公演チケットを捌くノルマに苦しんでいるときも、トシに買わせることはなかった。自分と同じくらい経済的に厳しいなか、小説家を目指していることを知っていたからだ。

ただ、一度だけ、シュンはトシに口出ししたことがある。トシが小説家の道をあきらめようとしたとき、あと一作だけ、自分の言うとおりに書いてくれと頼んだのだ。

もっとも、奇妙な話だが、シュンにはそれについての記憶がいっさいない。トシから、自分が言ったことを聞かされても、「笠木？　何、それ？」といちいち話が嚙み合わなかった。彼のほうは、どうも恩を着せないよう、シュンがとぼけているのだと途中で勝手に判断したようで、その後、この話題が二人の間に上がったことはない。彼女も薄気味が悪いとは思いつつ、トシが小説家デビューするきっかけとなったのならそれでよい、と何ら深く考えることなく、今に至っている。

二人の出会いは、駅前の雑居ビルの一階にある「レコ一」という古レコード屋だった。ともにそこでアルバイトとして働いていたのだ。店のオーナーが替わり、アルバイトを雇わない方針になったことで二人は店を離れたが、その後も音信は続き、彼女が短大を卒業する少し前から付き合いが始まった。トシの小説家への挑戦を、彼女はずっと応援していた。だから、彼の成功は我がことのようにうれしい。でも、それだけに、すうっと高い場所へ行ってしまった彼に対し、一人置き去りにされた愚図《ぐず》な自分を思うとき、どうにもならぬ焦りとみじめさを感じてしまう。

「よう、お待たせ」

いきなり横から声をかけられ、驚いて顔を向けると、そこにトシがいた。

「どうした？」

何でもない、とシュンは頭《かぶり》を振り、寒さを振り払おうと足踏みした。彼には先週、映画のオーディションを受けたことを伝えている。でも、最後のオーディションにするつもりだったとは、まだ教えていなかった。

「駄目だった」

そうか、とトシは首に巻いたマフラーの端をつまみ、二度、三度と回してから、

「残念」

とつぶやいた。

「私、働くことにした。もう、おしまい。これで最後にしようと思ってた。劇団も先週、辞めたんだ」

目を合わさずに、かすれた声を発するシュンを見下ろし、

「もう一度だけ、チャレンジしてみるのはどうかなあ？」

とトシはマフラーをいじる手の動きを止めた。「え」と思わず声を上げ、彼女は相手の顔をまじまじと見返した。

トシはあまりよいとは言えぬ顔色をしていた。三カ月前、ついに『カラスデスカラス』という変なタイトルのデビュー作が世に出たが、売れ行きはくやしいことにさっぱりだった。深夜のコンビニバイトを続けながら、次の作品の執筆に取り組んでいる彼の顔色は、デビュー前よりも悪くなっていた。デビュー前よりも、ずっと苦しんでいた。

「これ、ちょうど一年前の俺のときと同じ」

「え？」

「いや、こっちの話。それよりも、本当はまだやりたいんじゃないの？　シュンは演じるのが大好きなんだろ？」

そりゃ、と口が開きそうになるのを、たった今、やめると決めた話をしたばかりなのに、とシュンは慌てて止めた。

「ただし、条件があるんだ」

手から垂れ下がったマフラーの端で、男はふたたびふわりと円を描いた。

「俺が言ったとおりの演技プランで、次のオーディションを受けてほしい」

しばし無言で見つめ合ったのち、

「演技プラン？　トシが考えた？」

と疑いに満ちた眼差しとともにシュンは返した。

「それはこれが決める」

はい？　と裏返った声を発する彼女の背後に控える鳥居の柱に、トシはぱちんと音を立てて、手のひらを置いた。

「思うに、シュンは自分に近すぎる役ばかり選んできたんじゃないかな。そのほうがきっと演じやすかったからだろうけど、観客は他人であって、シュンじゃない。その役がシュンに近いかどうかなんて、シュン以外には誰もわからない。役に自分を合わせるのは当たり前だけど、だからといって自分を基準に役を選ぶ必要はない、もっと広く門戸を開くべきだと思うんだ」

負けん気の強いシュンであるから、こうした意見めいたことを真正面からぶつけられた場合、すぐにカッときて拒絶の意思を示してしまうのだが、あまりに突然の相手の変貌に、呆気に取られてその口を見つめるばかりだった。何しろ、シュンが出た舞台もこれまで二度しか見にきたことがないし、その感想を求めても、

「声がよく出ていてびっくりした」

と子どものようなコメントしか返ってこなかったトシである。

「これまで応募した役を、思い返してごらんよ。どれも、どこかシュンに似ている」

「そりゃ、私に色気のある役や、クールな役柄ができるわけないじゃない。全然、普段の私と違うもの」

「そこだよ。だから、そんなこと、観客には関係ないんだ。それは単に自分が演じやすい役を選んでいるに過ぎない。今度は、敢えてシュンとは正反対の役を選んでみる。そうすることで、自分に近づきすぎないようにする」

やけに鋭く、的確にこちらの弱点を突いた指摘に、思わず彼女も「ううむ」と腕を組んだ。確かに、これまでオーディションで応募した役は、すべてが自分に近い、つまりは「演じやすい」と思えたものばかりだった。それだけにオーディションに落ちたときは、素の自分に魅力がないからだ、そもそもの自分がつまらないからだ、と落ちこんでしまう。これだけは、どれだけ経験したって、慣れることはできなかった。

「でも……何で、そこに鳥居が出てくるのよ」

「繰り返しになるだけだから、さっさと伝えてしまうけど、明日の今ごろ、この場所にもう一度立ってほしい。ほら、そこに鳥居の影が伸びているだろ？　あのてっぺんの部分、あれ、笠木って言うんだけど、あの笠木の影を踏んだものを使って演技プランを立てる」

何、それ？　と素っ頓狂な声を上げるシュンに、

「まあ、なるようになるから。これ、うまくいくおまじない」

と男は今もふわふわと手元で回しているマフラーの端をいきなりぶつけてきた。鼻先をこする、やわらかい繊維の感触から逃げるシュンに、

「はあ、お腹空いた。ひさしぶりに、牛タン定食どうかな？」

と脳天気に告げ、男は先に歩き始めた。「ちょっと、待ってよ。何なのよ、いったい」

とあとを追って鳥居から離れたとき、いつの間にか落ちこんでいたものが、どこかへ消え去っていることに彼女は気がついた。

＊

翌日、シュンはふたたび日暮どきに鳥居前にやってきた。

何を言いなりになっているのか、と自分に腹も立つのだが、レンタルビデオ屋のアルバイトのシフトは夜からで、まだ時間もあることだし、と冷え性なのに、のこのこと出てきてしまった。

空は晴れているが、風は冷たい。鳥居の柱の横に立ち、足踏みしながら、参道に向かって伸びる長い影を目で追う。どうも一年前に、これと同じ話をトシの口から聞いたような気がするのだが、よく思い出せない。しかも、その話を私のほうから持ちかけた、ってことになってたような――どうだったっけ？　と首を傾けたとき、がさがさと羽ばたく音とともに、いきなりカラスが視線の先に降り立った。ちょうど笠木の影が差す石畳の上を、カラスは尾を振りながら、ちょんちょんと跳ねている。そのくちばしからは、白いビニール袋がぶら下がっている。どこかでゴミを漁ってきたのだろうか。その脂《あぶら》を引き延ばしたかのような、不気味に黒光りする姿に、やはりカラスは苦手だな、と目を

そらそうとしたとき、不意に相手が首を回した。一瞬視線が合ったのち、

「カ」

とひと鳴きして、カラスは飛び立った。あとにはビニール袋が、まるでトシの言葉を知っていたかのように、まさに笠木の影の真上に、ぽつんと置き去りにされていた。

「――ったく、誰じゃいッ」

いきなり真横から荒々しい声が響き、シュンは驚いて顔を向けた。白い息を吐きながら、杖をついた老人が近づいてくる。ビニール袋の手前、すなわち笠木の影の上で足を止め、老人は杖先で袋をつついた。

「あんたかい」

「い、いえ、違います。カラスです」

慌てて顔の前で手を振って否定したが、老人は「フンッ」と鼻を鳴らし、ビニール袋を拾い上げ、シュンには見向きもせずに境内へと立ち去ってしまった。

しばらく老人の後ろ姿を見送ってから、こんな寒いところに突っ立つのはもうゴメンだと、さっさと鳥居を潜り通りに出た。駅に向かいがてらトシに電話すると、

「どうだった?」

と妙にうれしそうな声が聞こえてきた。「どうもこうもない」とシュンは今起きたば

かりのことを、ほとんどまくし立てる勢いで伝えた。

「なら、次のオーディションでは、カラスと、ビニール袋と、そのじいさんを使おう」

「何、言ってんの？　どう使えって言うのよ」

「まあまあ、大丈夫だよ」

「何よ、大丈夫って。いい加減なことばっかり言わないで」

今や完全に頭に来たシュンが声を荒らげても、「ゴメン。今、芥川さんと打ち合わせ中なんだ」とあっさり電話を切られてしまった。

苛々した気持ちを抑えられぬまま、レンタルビデオ屋でのアルバイトを終え、シュンはコンビニで弁当を買って家路についた。アパートの部屋の玄関ドアを開けると、ハガキが一枚、郵便受けに入っていた。

「あ」

ずいぶんむかしに応募した、テレビドラマのオーディションの連絡だった。ハガキの裏面には、撮影スケジュールの変更等、諸般の事情により延期になっていたオーディションを再開することになり、書類審査の通過者にハガキを送付する旨が書かれていた。ようにに落ちていると思っていた、いや、応募したことさえ忘れていたオーディションだった。

部屋のこたつに潜りこみ、足が温まるのを待ちながら、シュンは机に置いたハガキと睨《にら》めっこした。

一週間後、彼女はオーディション会場にいた。審査の内容は、台本のコピーを渡されてのセリフ読み、さらにその場で与えられたお題で、即興で五分間の演技を披露する、というものだった。自分の名前が呼ばれるまで、廊下で天井を見上げ、会場に到着する前にトシから送られてきたメールを思い出した。そこには、「カラス、白いビニール袋、おじいさん」とだけ書かれていた。

「――瞬さん」

ドアが開いて、バインダーを手にしたスタッフの女性が顔を出した。これが本当に最後なんだ、と想いをこめて、胸のあたりを拳でドンと一発叩いてから、「ハイ」と返事した。

部屋にはパイプ机がひとつ置かれ、そこにプロデューサーと監督が座っていた。二人の前で自己紹介したのち、渡されていた紙のセリフ読みを終えると、五分間の即興演技のお題を与えられた。

「相手にあることを強く求めるけど、それがいざ実現したとき、失敗したと気がつく」

という妙に具体的な内容だった。

まったく、トシの言葉を守るつもりなんかなかった。しかし、準備のための三分間を終え、「じゃあ、お願いします」とプロデューサーが合図したとき、不意に頭の中で、まるで外から撃ちこまれた砲弾が炸裂したかのように、「カラス」「白いビニール袋」「おじいさん」を組み合わせた演技のアイディアの芽がぐんぐんと育ち、一気に展開し始めたのである。

どうして、そんなことを思いついたのか、自分でも理解できぬストーリーだった。白いビニール袋が道端に落ちている。袋の中には、ある秘密が入っている。それをたまたま通りがかったカラスと老人が奪い合うのだが、途中から、カラスも老人もともに神社の神さまが姿を変えているという設定になってしまい、最後には袋を手に入れるかわりに、老人が一年分の賽銭《さいせん》の金をカラスに渡すことで手を打ち、さてさてと袋を開けるが、中身を確かめた途端、「ギャッ」と声を上げて卒倒してしまう――。というところまで演じたのち、「以上です」と顔じゅうに汗を滲《にじ》ませながら、チラリと机の二人の表情を確かめてから頭を下げた。

年配のプロデューサーのほうは難しい顔をして腕を組み、若い監督のほうは手にしたペン先で机を叩きながらニヤニヤ笑っていた。

「これは新しいの来たなあ」

とつぶやき、監督はペン先をシュンに向けた。

「ねえ、何で、そんな話にしようと思ったの？」

何でと言われても、自分でもよくわからない。それでも、一瞬の逡巡を経たのち、彼女は正直に、これが自分にとって最後のオーディションであること、今までと同じことをやっても同じ結果になるだろうから、思いきって自分から最も遠い演技を試みたことを説明した。

「いつもだったら、どんな演技していたのかな」

「恋人との喧嘩……です。喧嘩をしたあと、悲しんでいる女の子を演じたと思います」

ぐっと耐えるような仕草ののちに、目に涙を滲ませる演技が得意だと自分では思っていた。だから、きっとそれを使うシチュエーションに話を持っていっただろう。実際にこのヘンテコなアイディアが湧く前まで、そのプランでいくつもりだったのだ。

「それにしなくて、よかったよ。みんな、そんなのばっかだから」

まだ口元に笑みを残しながら、監督は手元の紙に何かを書きこんだ。プロデューサーは最後まで興味なさそうに、無言で二人のやりとりを眺めていたが、話が途切れると「はい、どうも」と合図を送り、シュンは一礼して部屋をあとにした。

プロデューサーの反応の薄さから、これは駄目だろう、と早々に見切りをつけていたシュンだった。それだけに、一室にオーディションに参加した全員が集められ、結果が発表され自分の名が呼ばれたとき、何かの間違いが起きたのかと本気で思った。

　もちろん、主役ではなかった。それでも女性では三番手の重要な役に選ばれたことをプロデューサーは告げ、「よろしく」とはじめて見せる笑顔で、すでに出来上がっている一話目の台本をシュンに渡した。

＊

　これまで、ほんのチョイ役でなら、彼女もテレビドラマや映画に出たことがあった。でも、いずれも名前のある役ではなかったし、セリフも三秒を超えるものはなかった。それが今度はちゃんと役の名前がある。しかも毎回出番がある。たとえ、深夜ドラマであっても、それははっきり「デビュー作」と言えるものだった。

　それから三カ月後、最終回の撮影を終え、打ち上げの席でプロデューサーは、

「今だから言うけど、シュンが選ばれたのは奇跡だった。ほとんど、神懸かりと言っていい。本当は別に有力な候補が何人も上にいたんだ。でも、僕と監督の意見がなかなか合わなくて、最後にシュンが残った。僕は渋々、君を選ぶことに同意したけど、今はそれが正しい選択だったと思っている。撮影を見て感じたんだけど、シュンは自分という

器の作り方がいい。器は作り方次第で、新しいものを生み出すことができる。オーディションのとき、あの変な芝居で道を拓《ひら》いたようにね。だから、これからも、いろんな役に挑戦したらいいよ。応援してるから。でも、まだまだ、どうしようもない下手くそだってこと、忘れんなよ」

と手厳しい忠告も添え、今後へのエールを送った。

「腹が減ったら、ところ構わず弁当をバッグから取り出し、食べてしまう新人ＯＬ」というのが、彼女がドラマで演じた役どころだった。もしもオーディションで恋人との別れの芝居を選択していたら、つかむことはできなかっただろう役だった。これまで自分が得意だと思う演技を見せることで、深みを表現しているつもりだったが、実際はそれしか自信をもって他人様《ひとさま》の前で披露できるものがなかったのだと、今となってはわかる。ようやく彼女は、芝居の本当の自由さ、怖さ、そしておもしろさに触れようとしていた。

トシには、デビューが決まって、いのいちばんに感謝の言葉を贈ったが、「あれ、そんなこと言ったっけ？　メールも覚えがないなあ」となぜか最後までしらを切り通された。あまりに小説のことで頭がいっぱいで、どこかおかしくなっているのかも、とそれ以上、その話題を続けるのはやめたが、トシが自分を、広い豊かな世界へと導いてくれたことは間違いなかった。

果たして自分の芝居がいいのか、悪いのか、まったく手応えがつかめぬまま、とにかく無我夢中で演じきったら、ドラマの放送が終了したのち、小さな事務所に声をかけられた。それからは事務所が持ってきた仕事、自分から受けたオーディション――、名前がある役、ない役、何でも全力で取り組んだ。

もっとも、事務所に所属しようと、経済的に苦しいことにはかわりない。アルバイトを続けながら、ここで弾かれたらもう二度目はない、と必死になって食らいついたら、デビューして三年目、予算の少ないインディーズ映画の主演オファーが舞いこんだ。食事が出るほかは、実質的にギャラはないという条件で、伊豆の山中に一カ月、スタッフも演者も全員が籠もって撮影された映画が、ひっそりと公開されたとき、シュンはすでに二十八歳になっていた。

わずか一館の映画館での上映、しかもたった十日間という短い期間の公開だったにもかかわらず、これが口コミで評判を呼んだ。一週間、また一週間と公開が延び、さらには地方の単館系での公開が追加で決まった。公開から三カ月後、新聞の取材が来た。雑誌の取材も受けた。公開の半年後には、ゴールデンタイムに放映されるドラマからのオファーが舞いこんだ。どうやら、細々としたものながら流れというものをつかんだらしい、と感じ取れるようになったとき、彼女はアルバイトを辞めた。

シュンはその後も芝居に打ちこみ続けた。次の年、深夜ドラマで主役を演じた。二本のCMにも出た。さらにその翌年には、大河ドラマに端役ながら出演した。

その後も着々と役をこなし続け、デビューから八年が経ち、彼女が三十三歳の誕生日をもうすぐ迎えようとするとき、ついに朝の連続ドラマの主役に抜擢される。その制作発表会見にて、多くのテレビカメラと記者たちの前で、シュンは開口一番こう言った。

「一度はあきらめかけました。本当に夢みたいです」

その五

そう、夢。

夢なんです、これ。

今の今まで、君たちの身にあれこれ起きたこと、全部嘘偽りのない夢です。うん、私が作った。

ほら、ときどき妙に端折《はしょ》ったり、同じことが繰り返される部分があったでしょ？　あれ、夢だから再利用できるところはもう一度使っちゃおうってことで、手早く済ませたからなんだよね。

夢のなかでは、ざっと十年分くらい時間が流れたことになるのかな。いやはや、長々とお付き合いいただきご苦労様。これがここの神社のやり方だって言うから。夢のなかでの成就も実績にカウントされるっていうから、つい私も本気出して作りこんじゃった。

いや、心配は無用。現実ではまったく時間は経っていないから。君たちがこの鳥居の前で待ち合わせして出会ってから、実際に経過した時間は、せいぜい二秒、いや三秒ってとこかな。ほら、鳥居の影も全然動いてない。え、道路を走る車がどれも止まってる？　ああ、それは今、時間を止めているから。私たちと人間は、時間の流れが違うからね。だから、こうして時間を止めておかないと、同じタイミングでお話しできない。

え、私は誰かって？

おほん、私はこの神社の神であります。

まあ、正確にはヘルプの神だけど、任された仕事は正規のものだから安心して。

こっちは、私の助手。

こんな地銀営業マンみたいな髪型に、黒縁メガネかけて、やたらお固い格好しているけど、仮の姿ってやつだから。私ももちろん、仮の姿。でも、このシャツのデザイン、とても気に入っているんだ。これ、私が自分で考えたやつだから。

というわけで、はじめまして。シュンくん、シュンさん。なるほど、確かに続けて呼んでみると変な感じだね。これは君たちに倣《なら》ってトシ、シュンで呼んだほうがいいのかな。

そうそう、肝心のどうして声がけしたかってことだけど、端的に言うと君たちは選ばれたの。ここは学問・芸能を司《つかさど》る神がおわす神社で、君たちの願い事を叶えてあげることになったわけ。言っておくけど、これ、すごい幸運なんだからね。五億円の宝くじが当たるよりも、はるかに格上の幸運。だから、君たち、もう少しよろこびなさいよ。まさに今、最上級の奇跡にコンタクトしている最中なんだから。

わざわざ長い夢を見せたのは、それがここで決められたやり方だから。予行演習と言ったらいいのかな、いや、インフォームド・コンセントと言ったほうがわかりがいいかな——とにかく、ある程度の結果を先に見せるわけ。もちろん、中身は私が作った夢だから、100%の確実性を持っているわけじゃない。あくまで近似値と考えるべきかな。たとえば、トシが新人賞を取った小説のアイディア。あんなのじゃ、到底デビューできないだろうね。だって、私が一秒で考えた出鱈目《でたらめ》の筋だもの。だいたい、カラスにフェロモンなんて効かないし。

鳥居の影の場面も、私とこの助手で一芝居打っただけだから。カラスは助手が、老人は私が、それぞれ姿を変えて夢にお邪魔したわけ。本当は最初から今のこの格好で声がけしたかったけど、こちらでは、身近な人間に姿を変えて、神の介在を知らせずに進める決まりだというから、それに従ったんだ。だから、最初の登場は、それぞれの相手に姿を変えて仕掛けた。ほら、笠木の部分の影を踏むうんぬんの話を、お互い持ちかけた覚えがなかったでしょ？　あれは待ち合わせの場所に来た相手が、どちらも私だったたってこと。

ひと言で夢といっても、虚実が入り乱れたものだから、細かい調整がいちいち難しかったよ。たとえば、君たちがデビューしてからの苦労は、全部私が作った夢のストーリーだけど、それを前に自分の頭で悩み、理解し、成長した部分は本物。このへんが、ややこしい。あの夢には、今後の君たちが道を切り拓くために必要であろうヒントが、いっぱいちりばめられていたんだ。それが経験として、これからの君たちの無意識の底に残る――、これが五億円の宝くじが当たるよりも幸運だって意味。君たちは、この先十年分の体験を、しかも限りなく成功につながる可能性がある知恵と経験を、頭の中にこっそり蓄えることができるんだ。

さあ、どうする？

もし、夢での経験を引き継ぐ場合は、ここに、この神社の神から預かった御札があるから、これに籠められた神通力を、私が言霊《ことだま》にして君たちに打ちこむ。それで、私のお勤めは終了。実にまどろっこしいやり方だけど、「芸能」は大成するまで時間が必要だから、こんなかたちを採るんだろうね。成功までのとても長い時間をこれから費やす覚悟が本当にあるかどうか、夢を体験させることで、改めて本人に確認するわけだ。「縁結び」とはまるで違う。あっちはなるようになれというか、行き当たりばったりというか、とことん刹那《せつな》的というか。そのぶん、いろいろなドラマがあって、そこがおもしろいんだけど――。

あ、話が逸れたね。それでは、返事をいただこうかな。

どちらを選ぶにしろ、二人とも仲良くやるんだよ。仕事柄、たくさんの組み合わせを目にするけど、君たちお互い愉快な名前だし、相性もいいから、トシ&シュンとして、これからも助け合っていきなさいよ。

ん？

何で、引っ張ってくるの。

やめなさいよ、そんな力で引っ張ってくるとシャツが破けてしまう。あ、ごめんごめん、助手の奴が急に後ろから、ちょっかいかけてきて。コラ、やめなさい、だから、引っ張らない。最後のキメの部分なんだから、ここはかっこよく成就させてよ。

え？

私に言っていないことがある、この二人について大事な話？　だから、その大事な話をこれから決めようとしているんじゃない。そうじゃなくて、このままだと二人が別れてしまう？

どういうこと、それ。

夢のなかでは敢えて描かなかったけど、ともに成功したあと、忙しくなりすぎたせいで、すれ違いが起きて別れる？　ちょっと待って。聞いてないよ。だいたい、どうして、あんたがそれを知ってるの。ここの神から聞いた？　私にその部分は見せないように頼まれていて、夢にこっそり細工していた？

ちょっと、タイム。

これは、タイム。ごめんね、君たち。少しの間、我々だけで話させてくれるかな？

ちょっと、あんた、こっち来なさいよ。

何なの、その話。

そんなの認められるわけないじゃない。こちとら「縁結び」の神だよ。確かに、前の神社にはすでに後任が来て、引き継ぎを済ませたけど、次の任地が決まるまでは、肩書きは「縁結び」のままだから。私にはわかるもの。あの二人はこれから、きっとうまくいく。結婚してかわいい子どもも生まれる。私にもそれなりに経験があって、それなりに神通力があるからね。感じるんだよ、二人のよき前途を。

それは無為を貫いた場合の話、もしもこの場で「芸能」の願い事を成就させたときは、結末が変わってくる？　なるほど、ね……。

向こうで二人が呼んでるって？

ちょっと待って、少し考えさせてくれるかな。

＊

失礼。想定外のことが起きてしまいまして。でも、納得した。いや、納得した、と思いこむことにしたから。

ほほう、意見が決まった？　じゃあ、聞きましょう。ふむふむ……、二人とも夢での経験を引き継ぎたいと。

わかり……ました。

ええと……、これが神通力が籠められた御札です。

願いを叶えるべし。

願いを叶えるべし。

ほら、言霊が生まれた。

これを打ちこんだら、目出度《めでた》く成就となって、君たちは可能性に満ちた新たな道を歩き始めるわけだ。でも、必ずや成功が保証されているというわけでは、もちろんないからね。常に各人の努力が必要だから、そのことだけは忘れないで――って、ここでの話は、現実の時間の流れに戻ったら、全部忘れちゃうんだけど。

じゃあ、口を開けて。お嬢さんも恥ずかしがらずに、もっと。そうしないと、言霊を打ちこめないから。長い時間にわたって作用するから、これ、縁結び用のものより、ずっと大きいんだわ。

オウケー。

じゃあ、いきますよ。

さあ、いきますよ。

エイ、いきますよ。

それ、いき……。

駄目。

やっぱり――、私にはできない。

目の前の二人が別れることがわかってて、そのきっかけを与えるなんて、私にはできないよ。この二人には、ともに成長して、これからも同じ時間を歩んでほしいんだ。

うん、わかっている。

人間の前で一度、言霊にしたものを撤回するのは、極めて重大な倫理違反行為だって、もちろん知ってる。でも……やっぱり、私にこの言霊は打ちこめないです。

もしも、このまま言霊を使わなければ、これまでのキャリアをフイにするかもしれない？　懲罰会議にかけられることもあり得る？

それでも、よ……くないね。

嗚呼《ああ》、どうしたらいいんだろう。

ねえ、あんたもそんな脅かすようなことばかり言わないで、知恵を貸しなさいよ。これまで、いろいろ世話してあげたでしょ？　え？　ここでの分け前はゼロだって言われた？　嫌だなあ、冗談に決まってるじゃない。私の取り分の三割、いや四割五分をあげるからさ――。

ん？　それは何？

どうして、ここでいきなり袋を出してくるの。

これ、あんたの商売道具が入ってるって言っていたやつじゃない。え、開けてみろ？

いや、別に今じゃなくてもいいよ。確かに、お嬢さんのオーディションの演技にもかこつけて、中身を見せてほしいとアピールしたけど、そこまで本気だったわけじゃないから。それに今はライターの商売道具に、興味が募るタイミングじゃないと思うんだ。痛い、痛い。そんな押しつけない。わかったよ。開けるから、落ち着きなさいよ、まったく何だよ、いきなり。

じゃあ、開けますよ。

何だか、ずいぶん軽いね。中身の手応えも全然ないし。本当に入ってるの？　ん？　紐をほどいて口を開けた途端、何だか、急に光り始めたよ。

わ、まぶしい、まぶしい。見えない。

何も見えない――。

＊

あれ？

ここ……、同じ鳥居前だよね。一瞬、空に飛ばされたような感覚があったけど、気のせいだったのかな。

でも、変だな――あ、二人がいない。トシ＆シュンの姿が見えない。どこ行った？　あんたも探しなさいよ。だいたい、今のは何。まるで「縁結び」の神社にいた頃、私が人間の前に登場するときに見せていた光そっくりじゃない。

試験終了？

いきなり何の話してんの。

全部、夢だった？

そんなの、わかってるよ。私があの二人に夢を見せたんじゃない。そうじゃなくて、その前から全部が夢だった？　ごめん、何を言っているのか、さっぱりわかんない。この神社に到着したときから私は夢を見させられていて、まさに今、その夢から覚めたところだって？

待って。ちょっと、待って。頭がこんがらがって、すぐには元に戻らない。ということは、どういうこと？　あの二人に声がけしたことは夢だったの？　じゃあ、私は夢の中で、さらに人間に夢を二つ分、仕込んだってこと？　なんて、ややこしい。

でも――、誰がそんなことを。どうして、私がそんな目に遭わなくちゃいけないの。

昇進試験？

ま、待ちなさいって。いよいよ混乱してきた。何が何だか、わからない。嫌な予感しか、わからない。

前の縁結び神社の後任への引き継ぎが終わるのを待って、私が次の神社に赴任するための最終審査がここで行われた？　ひと組の男女が願い事を成就させる過程で、将来別れることになるという状況を敢えて作り、そこでの対応をチェックする？　そ、それは、どういうこと……？　どうしよう、こ、声が震えてきた。

いや――でも、おかしくない？

どうして、あんたが、そんな裏の事情をすらすら話すことができるのよ。自分がその審査神だから？　ハッ、馬鹿言っちゃいけないよ。どうして、ロクに本も出せない下っ端ライターが、上級も上級の神しか就任できない、昇進を見定める「審査神」を務めることができるのよ。ああ、馬鹿馬鹿しい。うっかり、大嘘に乗せられるところだったわ。

何？

袋を見ろ？

ああ、そうだ。あんたの袋、借りたままだった。何なの、この袋。いきなり光って、まぶしいったらありゃしない。おや？　何か袋に入っているね。ずいぶん、小さいけど――、これ、御札じゃない。しかも、最上位の神しか持てない、正二百五十七角形の紋様が並んだスーパーセレブ御札じゃない。どうして、こんなところに入っているの。何で、あんたがこんなの持ってるの。

自分のものだから？

……え？

わ、いきなり、大きくなった。

ほとんど、空に近づくくらい大きくなった。私のような下っ端は、永遠に口も利けないくらいアッど、どうしましょう。本物だ。超VIP上位神の登場だ。そ、そんな御方がどうして、ここに……？パーもアッパーの、超VIP上位神の登場だ。そ、そんな御方がどうして、ここに……？

ずっと、私の審査をしていた？　あの下っ端ライターは今ごろ、休暇でのんびりどこかで遊んでいるから、その間、姿を借りた？　ま、まさか――、これって本当に昇進試験⁉

ま、待ってください。先ほどのことは大いなる誤解です。まさか全身全霊これ遵法精神のかたまりのような性格の私が、重大な倫理違反だと知って言霊の処理を誤るなんてことは決してありません。「私には言霊は打ちこめない」なんて、一瞬の気の迷い、あくまであの場限りの冗談、猛烈に舌が滑っただけ――。

へ？

合格？

あのとき、ちゃんと「縁結び」の神の自覚を持って、二人の結びつきのほうを選ぶことができるかどうかを見定めるための試験だった？　もし、あのまま「芸能」を優先して二人に言霊を打ちこんでいたら、即刻試験は失格、あと最低三百年は派遣で研修を積むことになっていた？

で、では、昇進が適ったというわけで……。

任地は――ここ？　でも、すでに学問・芸能神がおられて私もあいさつを済ませ――、え？　あそこからすでに夢の中の出来事だった？　本来は「縁結び」の神社で、ちょうど異動があって今は誰もいない状態？

も、もちろん。

たった今からでも、こちらでお勤めを始めさせていただきます。はッ、この神社は境内に、「学問」「芸能」を司る摂社《せっしゃ》が置かれているから、少しばかりその方面の手伝いもしつつ、新たなかたちの「縁結び」に励みなさい、それが上級職の腕前というもの――、御言葉しかと受け止めました。

あ、鳥居のところにトシが来た。夢といっしょだ。お、向こうからシュンも近づいてきている。なるほど、夢の中に現れた人間には現実のパーソナルデータを取りこんでいたから、さっそく得た知識でもって勤めを果たすように――承知しました。二人の芸能への願い事もそれとなく加味しながら、バージョンアップした縁結びの腕をお見せしますぞ。

時間よ止まるべし。
時間よ止まるべし。
よし、言霊できた。
待ってな、トシ&シュン。
さあさあ、こちらの神社での、記念すべきはじめの一歩でございます。

下津山縁起

米澤穂信

A.D.870

草木国土悉皆成仏

（斟定草木成仏外記）

A.D.873

遠江国《とおとうみのくに》が次のように言上してきた。

嘉神《かがみ》郡に上津山《かみつやま》という名の山があります。今回、麓《ふもと》の野が焼け、山の東北に高さ五百丈ほど、周囲八百丈ほどの、鉢伏形の高台が出現しました。

去る承和五年七月五日に火が噴き上がり始め、野火が広がり、大きな石が吹き上げられ、炎は天を衝《つ》きました。辺りは朦朧《もうろう》としてあちこちに火炎が飛び、このような状態が十日も続きました。上津山の様相は一里四方を深い草木に囲まれ、人も獣も通わない有様でしたが、いまは全て焼けてしまい、灰と煤ばかりが厚く積もっています。

神官たちを集めて卜《うらな》いますと、上津山の神の社が毀《こわ》れ、年々の供物も疎《おろそ》かであることに祟りを成していることがわかりましたので、社を修繕し、奉幣を行いました。最近雲が晴れ、新たな高台が見えるようになりました。これは神の感応によるものです。

（続日本別紀）

A.D.1006

遠江国のふたご山というのは、かみつ山としもつ山のことをいう。

（遠州風土記）

A.D. 1180

乙巳。

大庭《おおば》四郎《しろう》晴親《はるちか》は軍勢を分散させ、方々の道を固めた。俣野《またの》三郎《さぶろう》晴久《はるひさ》は駿河国目代《もくだい》の藤《ふじ》原《わら》近茂《ちかしげ》の軍勢を引き連れ武田・一条らの源氏を襲撃するために甲斐国へ向かった。しかし翌日、辺りが暗くなったので下津山の南麓を宿としていたところ、晴久ならびに郎党が持っていた百あまりの弓の弦が鼬《いたち》によって食いちぎられてしまった。晴久たちが困惑していたところに、安田《やすだ》二郎《じろう》吉定《よしさだ》、工藤《くどう》十郎《じゅうろう》晴光《はるみつ》が石山の合戦を聞き甲斐国を出発していたので、上津山において晴久らに遭遇した。

吉定らはおのおの轡《くつわ》を廻《めぐ》らし矢を放ち、晴久らを攻め立てた。晴久らは弓の弦が切れていたので太刀を振るったが、その多くが矢に当たった。晴久は最期に当たり、「下津山はまことに忌々しい。このような地に拠ったことが誤りだった。もしここを逃れることができたなら、一族を率いて必ず下津山を崩してみせるのだが」と言ったという。

（十鑑）

A.D.1783

勘定奉行へ

遠江国の下津山削平《さくへい》ならびに旗沼《はたぬま》の埋立の件については、このたびの洪水で開拓地が押し流され、とても成功の見込みがないので、開発は中止とし、後のことについては現地の責任者とよく相談せよ。

八月

(天明老中奉書集)

A.D.1885

兵部省陸軍参謀本部測量局

静岡県嘉神市山地測量結果

(イ)上津山　標高一一二三米

(ロ)下津山　標高一一二六米

（全国三角測量経過報告書）

A.D.1924

わたくしといふ現象は
假定《かてい》された有機交流電燈の
ひとつの青い照明です

（春と修羅）

A.D.1966

嘉神市民プール開業　大盛況

1日、嘉神市の市民プールが開業し、晴天の下、約3千人（嘉神市調べ）の市民でにぎわった。嘉神市に公営プールが作られるのは初めて。子ども連れで来ていた同市の秋田清一さん（37）は「子どもが安心して水に親しめる場所があるのは結構なこと」と笑う。一方、同市の山本薫さん（59）は「昔は上津山の池が町中の子どもの遊び場だった。

自然から離れていくのはいかがなものか」と眉をひそめた。

（静岡日日新聞）

Ａ.Ｄ.１９８７

……今回、わたくしは公約として、旗沼の埋立工事の推進を訴えます。

旗沼の埋立は、古くは江戸時代、徳川吉宗の頃から計画されておりました。しかし相次ぐ財政難、天災、政変によって中断されてきたものであります。ことに天明三年の浅間《あさまやま》山の噴火で、もう一歩という所まで進んでいた工事が全て水の泡と消えたのは有名です。いまこそ先人の無念を晴らし、計画を完遂するときが来たのです！

旗沼の埋立は市民の、県民の、国民の宿願であります。下津山を削り、旗沼を埋め、全てを平地とすることができたならば、そこには日本有数の大平原が誕生します。その平原を三分割し、農業・工業・住宅地に適切に割り振ります。大規模農業に適した平坦地は生産効率を飛躍的に高め、立地の良さを生かした工業の誘致は地域の経済を活性化させ、そして安価に提供される新興住宅地は多くのサラリーマンが抱くマイホームの夢を叶《かな》える切り札となるでしょう。埋立工事はたいへん有意義な公共事業として、雇用を大々的に促進することとなります。

みなさんの力で、わたくしを県政の舞台に押し上げて下さい。一命を賭して、やりぬく覚悟であります。……

（静岡県議会選挙政見放送）

A.D.1989

圧電気　あつでんき
結晶に外部応力を加えるとき、その結晶の電気分極が変化する性質。ピエゾ電気あるいは圧電性、圧電効果ともよばれる。……

地電流　ちでんりゅう
地中を流れている自然電流。地殻を構成している土、砂、岩石などはある程度の電気伝導度をもつ。そのため磁気嵐や地磁気日変化などの磁場の変化が、電磁感応によって地中に誘導するのがこの地電流である。……
（日本百科大事典）

A.D.2018

旗沼埋立計画　中止へ

　静岡県嘉神市旗沼の埋立計画について、11日、長沼知事は「現在の県財政ほか諸状況にかんがみれば、計画の再検討もやむを得ないということになるかと思う」と述べ、事実上の方針転換を示唆した。

　旗沼の埋立工事は平成元年に計画されたが、漁業協同組合などの反対もあり、実質的な工事に着手できていなかった。嘉神市では「下津山を平地にする会」が結成され、計画の推進を強く要望していたが、同市以外の県議からは「全国的に景気が後退局面にあるいま、大規模な土地造成に需要があるのか」など異論が出ていた。

「平地にする会」の徳島事務局長は「大変残念。旗沼の埋立についてはやむを得ない面もあるが、下津山の削平は交通アクセスの改善という意味も大きかった。嘉神市民の悲願として、今後も運動は続けていきたい」と語った。

（静岡日日新聞）

A.D.2191

特集　人類は孤独ではない！　未感知知性に挑む科学者たち（前篇）

宇宙開発の停滞と共に、「地球外知性体」の探求もまた進展を見ていない。相手と永遠に接触できないならば、それは存在しないのと同じこと。人類はやはり、孤独なのか？

そんな諦めに、敢然と否《いな》をつきつける科学者たちがいる。地球物理学博士・森島不来《ふらい》敗《はい》もそのひとりだ。昨年十二月、「大質量知性仮説」を発表し注目されている。

インタビューの場に現われた森島博士は、未踏の地に挑む者にのみ許された、深い知性と果てしないロマンが併存する眼差《まなざ》しをしていた。筆者を一瞥《いちべつ》すると、一分一秒が惜しいかのように椅子に腰を下ろしつつ口を開いた。

「大質量知性仮説について知りたいそうだが、論文に全て書いてある。それとも私の論文に不備を見つけたのかね？」

筆者は、そうではないことを説明した。森島博士の論文は非常に専門的であり、創造性に満ちた飛躍が多く、われわれ一般人には必ずしも理解しやすいとは言えない。そこで多忙を承知の上で、森島博士自身に嚙み砕いた説明をして頂きたいということを伝えた。博士は、超然とした学究の徒がよく見せる苛立《いらだ》ちを露わにしながらも、

「よかろう」

と話し始めた。

筆者はまず、仮説の着想がどこにあったのかを尋ねた。博士は即座に答えた。

「それはもちろん、人間の脳だ。私の興味は常に人間にある。

人間の脳が電気信号で動作していることは、十九世紀から周知の事実だ。意志も思考も全ては電気として解釈できる。よって、電気信号を処理する器官を適切に組み合わせることができるなら、当然人間の脳を、ひいては意志を人為的に再現することができる。コンピュータ文明の初期においては多くの学者がコンピュータに『魂』を吹き込む方法に頭を悩ませた。それが出来ないのは何故か、多くの議論が交わされた。しかし今日では、それは単に人類の工学が未熟だからに過ぎないというのが定説になっている。

ここまでは誰でも知っていることだ。しかし私の大質量知性仮説は、そこからさらに論を敷衍《ふえん》させている」

そして博士は、筆者の理解が追いつくのを待つように言葉を切った。筆者が先を促す

と、これまでよりなお不機嫌そうに顔をしかめ、博士は先を続けた。

「つまり、人間の知性が電気によって解釈されるなら、その他多くの電気信号の集合体に知性が見られないのは何故なのか、というところに着目したのだ。人間には知性がある。しかし電気で動作するところの照明器具には知性がない。それは何故か。人間には意識がある、しかし発電機に意識がないのは何故か。私はそれを考え続けた。

しかし、これは愚かなことであった。自らに問いかけた、その質問が間違っていることに気づくまで、私はずいぶん多くの時間を費やした。しかし正しい質問に辿《たど》り着ける者は、決して多くはない。私はその少数派に属していた。

私は、照明器具には意識がないのは何故かと考えるべきではなかった。照明器具にも意識があるのではないかと考えるべきだったのだ」

筆者は、二十世紀の化学者、プリーモ・レーヴィのことを思い出した。化学者でありながら小説家でもあった彼の作品に、「猛成苔」という、自動車の性別を主題としたものがある。しかしレーヴィは本心から自動車に性別があると思っていたわけではないだろう。それはあくまで思考実験であり、小説であった。森島博士の言は、どこまで本心なのだろう。

そう問うと、博士は筆者を哀れむような目で見つめた。

「むろん、思考実験などではない。私の科学者としての主題はまさに、無数の電気信号の中に知性を見出すことにあった。コンピュータによる人工知性は、私の研究の妨げになる。コンピュータを搭載していない原始的な照明器具や、その他多くの機械を観察した。

……言うまでもなく、地を這う蟻にも脳はある。『エサを取る』『巣に運ぶ』という本能を、しかし知性と呼ぶわけにはいかない。いや、知性と本能を区別するのは私の仕事ではない。いずれにせよ、私が探しているのは蟻のそれではない」

博士は突然、声を震わせて叫んだ。

「なぜなら私の研究の最大の目的は、人類という種の友を探すことにあるからだ！　共に語り合い、議論し、理解に到達し得る知性体を！」

そして言葉を失った筆者の前で、博士は二度、三度と荒い息を吐いた。しかし博士の激情は一瞬にして消え去った。博士が再び不機嫌にしかめた顔つきに戻るのを見て、筆者は訊いた。それで、照明器具に知性はあったのか、と。

博士はかぶりを振った。

「意識らしきものはあった。だがそれは知性ではなかった」

それは信じ難い大発見だ、と言った筆者を、博士はおそろしく険しい顔で睨みつけた。

「いまの話をどう聞いていたのだ。蟻は人類の友にはならない。彼らの意識は愚かすぎる。照明器具もそれと同じだ。およそ、人類が作り出した電気で動く物体の中に、取り上げるに足る知性を備えたものは何もない。何もなかった！　それでは私の研究対象には値しない。

　何故彼らは愚かなのか。人間ほど大きな脳を持っていないからだ。正確には、人間ほど高機能な脳を持っていないからだ。では、知性体はどのような外見をしているか？　そこで私は、またしても正しい設問に辿り着いた。

　私が探している知性体、すなわち電気信号の処理機構は、人間の脳ほど精妙な作りではないかもしれない。しかし、仮に単位当たりの処理能力が低いとしても、充分な大きさを備えていればカバーできるはずではないか？

　人間の脳の二分の一以下の処理能力しかなければ、二倍の大きさが、十分の一の処理能力しかなければ、十倍の大きさがあれば、同等ないしそれ以上の知性を備えうる。これが私の『大質量知性仮説』の根本原理だ」

　博士の説明を聞き、筆者の脳裏には巨大な生物が思い浮かんだ。博士は、ゾウやキリン、クジラに未発見の知性があると考えているのだろうか？　そう尋ねた筆者を、博士は一喝した。

「それらは体が大きいのであって、脳が大きいのではない！」

それでは博士が想定している知性体とは何なのか。博士は言う。

「想定しているのではない。既に私は彼らと接触している。『好きだ』『嫌いだ』という程度の、言葉以前の感情を受け取ることに成功している。長い文章の交信は試行錯誤の最中だが、それも先は見えている。彼らはわれわれの身近に存在し、人類の歴史よりも遥かに長く知性を営み続けている」

何と驚くべきことに、森島博士は既にその知性体と交信を果たしているというのだ。

しかし、本当に「彼ら」がそれほど近くにいたのであれば、人類は何故二十二世紀に至るまでその知性体と接触することが出来なかったのか？

「彼らとわれわれとでは、時間の流れ方が違うからだ。彼らにしてみれば、われわれは目にも止まらぬ速度で動きまわりいつのまにかなくなる、妙な現象としか受け止められてはいないだろう」

森島博士が言う「知性体」とは何なのか。博士が果たした「接触」の内実とは？　次号第八号の特集で、その真実を明らかにする。しかし現時点で、筆者が確信をもって言えることが一つだけある。

人類は孤独ではない！

（超科学レムリア）

A.D.2192

休刊のお知らせ

皆さまにご愛読頂きました「超科学レムリア」は、第七号をもって休刊することになりました。

編集部一同、再スタートに向けて全力で取り組みます。

どうぞ応援よろしくお願いいたします。

（超レム編集部通信）

A.D.2205

聞こえますか。あなたと話がしたいのです。（発信開始から終了まで10s）

……反応なし

聞こえますか。あなたと話がしたいのです。(発信開始から終了まで100s)
……反応なし
聞こえますか。あなたと話がしたいのです。(発信開始から終了まで1000s)
……反応なし

(森島研究所交信室ログデータ)

A.D.2250

徳島笛利平《フェリペ》　略歴
二〇九五年　東海道静岡郡カガミ市に生まれる
二一一三年　国連立カレリア大学文学部入学
二一一七年　国連立カレリア大学文学部を首席卒業
二一二五年　東海道議会議員に立候補
　　　　　　初当選
二一二九年　下院初当選

二一三六年　民部《みんぶ》大臣就任
二一三九年　治部《じぶ》大臣就任
二一四二年　ＭＤＭ疑獄により議員辞職
二一四四年　返り咲き当選
二一四九年　「国土集約計画」を公約に摂政《せっしょう》就任

（ウィキペ）

Ａ.Ｄ. ２２５６

八月二十一日。晴れ。南西の風、微か。

新カガミ市街地造成の現場を見に行く。

下津山は縦に真っ二つにされ、半分が削り取られてなくなっている。磨いたような切断面は黒々としている。ふだんは隠れている大地の力強さが露骨にされたようで、見ているとどこか不安になってくる。第二期造成計画が進めば、その残った半分も消えてなくなる。下津山はこの世から完全に消滅するのだ。

子供の頃から慣れ親しんだ双子山。上津山と下津山が肩を並べる景色が、永遠に消えてなくなろうとしている。

新市街地の使い道については、いまだにはっきりした計画が出ていない。宇宙港を作るという話もあるし、惑星間通信の基地局を作るという話もある。研究所を作るのだと言う人もいるし、全部宅地にするという噂も流れている。妻は最後の噂を信じて、家を買うのを待てばよかったと憤慨している。新しい土地が開けるなら、古い土地は値下がりするに違いないと考えているのだ。

しかし、普通に考えてそれはあり得ないだろう。日本全国、どこにいっても土地は余りきっている。人口がもっと多い頃に作られた都市のいくつかは放棄され、その気になればいくらでも無料で家が手に入る。いま住んでいる家だって、妻が悔しがるほど高くはなかったのだ。

下津山の跡地を眺めながら、私はどうしても考えてしまう。なぜいま、国は新市街地の造成に乗り出したのだろう。数々の噂話を総合して考えるなら、おそらくは使い道も決まっていないのに？


造成地で高田に会った。

久しぶりだ。十五年ぶりぐらいだろうか。お互いに年を取った。いくら老化速度を落としても、人生経験は否応なく降り積もって、どことなく昔とは違う顔になる。高田は体に相当金を掛けていると見えて、外見はほとんど青春時代のままだったが、立ち居振る舞いはずいぶんとくたびれていた。最近、こういう人間が増えた。

「それにしても、この街も変わったなあ」

高田はそんなことを言った。

「下津山が消えてなくなるなんて、ちょっと考えもしなかった」

「ああ」

半分に切られた山を見ながら、私は言った。

「見ていて痛々しいよ」

「まったくだ。残りも、さっさと片づけてほしいところだな」

そして高田は、ごく自然にこう続けた。

「きっと、すっきりするぞ」

高田は深い意味があって言ったのではないだろう。中途半端に残った下津山が消えれば、それは確かに「すっきり」と言える。

しかし私は、その言葉を別の意味に受け取った。……下津山が消えてなくなることは、すっきりするというより、どこか「せいせいする」出来事なのだと。

たぶん私は、よほど驚いた顔をしていたのだろう。高田が「どうした？　心臓に来たのか？」と訊いてきた。私は曖昧に、何でもないと言うのが精一杯だった。

そうだ。私は「せいせいして」いる。

新カガミ市街地造成事業に、私はずっと違和感を覚えていた。

使い道のない土地を作る意味がわからないというのも、もちろん理由の一つだ。しかしそれ以上の疑問に、私は今日まで気づかずにいた。

なぜ私は、いや私たちは、この造成事業に反対しなかったのか？

徳島摂政が国土集約計画を打ち出したとき、その政策リストの中に新カガミ市街地造成は最初から入っていた。報道軍は「あからさまな我田引水」と批判したが、圧倒的な支持率を背景に政策は実行に移された。

カガミ市民は最初から、造成計画に大賛成だったように思う。少なくとも、反対意見は職場でも趣味の場でも聞いたことがない。初めて地元から出た摂政の言うことだから何でも賛成、という人間はもちろん多い。しかし「あいつは食わせもんだ」という者でさえ、新カガミ市街地造成には異を唱えなかった。

多くの市民が立ち退きを迫られ、財政難の折り補償も充分に得られず、新しい土地に何か権利を得られるわけでもない。冷静に考えれば、カガミ市民にとって得なことはほとんどないではないか。

それなのに私たちは諸手《もろて》を挙げて賛成し、造成を受け入れた。何故か？

実は、私自身についていて言えば、その理由は何となくわかっている。

私は子供の頃から、下津山が嫌いだった。それが何故かはわからない。生理的嫌悪感とでも言うしかない。

思い返してみれば、新カガミ市街地造成計画が最初に報じられたときは私も戸惑っていた。いくら新摂政がこの街の出身だからといって、いまさらこの街を再開発する意味があるのだろうかと思っていた。

しかし計画の全貌が明らかになり、それが大雑把《おおざっぱ》に言って下津山を平らにすることだとわかったとき、私はそれを歓迎した。数多くの理由をこじつけたものだ。「数十年ぶりの大型公共事業は景気を刺激するに違いない」とか「徳島さんのやることに間違いはない」とか……。

しかしおそらく私が賛成したのは、新しい土地が出来ることではない。

下津山が消えることだった。

こんなことは、他人には話せなかった。

あまりに馬鹿げている。子供じみている。だいたい、「あの山が気にいらない」だなんて、誰がわかってくれるというのか。

しかし今日、私はふと思った。

もしかしたら、この街の誰もが、私と同じように感じていたのではないか。


なぜ？

(正田紫煙《ジエントルマン》取男の日記)

A.D.2299

聞こえますか。あなたと話がしたいのです。(発信開始から終了まで10000000s)
……反応なし
聞こえますか。あなたと話がしたいのです。(発信開始から終了まで20000000s)

……反応なし

聞こえますか。あなたと話がしたいのです。（発信開始から終了まで300000000s）

……反応なし

聞こえますか。あなたと話がしたいのです。（発信開始から終了まで400000000s）

……反応なし

聞こえますか。あなたと話がしたいのです。（発信開始から終了まで500000000s）

……何だ。もっとゆっくり喋ってくれ。

（森島研究所交信室ログデータ）

A.D.2573

（以下、固有名詞を含め、翻訳可能な単語は全て翻訳済み）

あなたは誰ですか?

……お前は誰だ。

わたしは森島研究所のコンピュータです。あなたは誰ですか?

……私は北岳《きただけ》だ。

あなたに聞きたいことがあります。答えていただけますか?

……構わない。だが、もっとゆっくり喋ってくれ。

(信号発信間隔調整。発信開始から終了まで平均800000000s)

わたしの設計者は、あなたを山だと考えていました。あなたは山ですか?

……質問の意味がわからない。

あなたはどのような形をしていますか?

……普通だ。

あなたは人間の存在を知っていますか？
……知らない。なんだそれは。
人間とは、時折あなたの外皮を登っていく存在です。
……いろいろなものが登っていく。
人間とは、いまから六十七年前にあなたの北側の外皮を大きく剝がした存在です。
……わかった。
そのことで、あなたは怒っていますか？
……怒るとはなんだ。
七に八を足すとどうなりますか？
……十五だ。
あなたは富士山ですか？

……私は北岳だ。

富士山と北岳は違う存在ですか？

……当然だ。

富士山と北岳は意思を交わすことがありますか？

……良い友達だ。

あなたは金峰山《きんぷさん》を知っていますか？

……知っている。

あなたは金峰山と意思を交わすことがありますか？

……意思のない相手と意思を交わすことは出来ない。

あなたは乗鞍岳《のりくらだけ》と意思を交わすことがありますか？

……良い友達だ。

富士山には意思があるのに、金峰山にはそれがないのはなぜですか？

……難しい質問だ。なぜお前は私に問いかけ、【人類の語彙《ごい》に該当単語なし】は私に問いかけないのかと問うことに似ている。

あなたと富士山は大地で繋がっています。なぜ別々の意思を持つのですか？

……難しい質問だ。なぜ私はお前ではないのかと問うことに似ている。多くの学者がその問いに答えようとしてきた。

あなたと富士山は同じものではないのですか？

……そういう説もある。多くの友達がその説を信じている。

たとえばどの友達がその説を信じていますか？

……一番強固に信じているのは剱岳《つるぎだけ》だ。あいつは、俺とお前は繋がっていると言う。

あなたはそれを聞いてどう思いますか？

……剱岳も昔はああじゃなかったのに、と思う。

あなたは剱岳が嫌いですか?

……良い友達だ。

あなたたちの中で、人間を感知している存在はありますか?

……そういうものがいるという噂は聞いたことがある。

その噂を聞いて、あなたはどう思いましたか?

……そんなものはいない、と思った。

人間の存在を知って、どう思っていますか?

……お前が私に冗談を言っているのだと思っている。

山も冗談を言うのですか?

……【人類の語彙に該当単語なし：おそらく冗談】

あなたは
……仕事がある。お前との会話は楽しかった。富士山に聞かせたら、ひっくり返って驚くだろう。仕事が終わったら、また話をしよう。

（信号途絶）

（森島研究所交信室ログデータ）

Ａ.Ｄ.２５７４

【発信】

私は森島不来敗。地球物理学博士だ。

西暦二二〇五年、このメッセージを録音する。コンピュータが実験の成功を確認した時点で、このメッセージはネットワーク上に流される。

いまこそ、私は宣言する。私は正しかった。私には、こうなることがわかっていたのだ。

人間の知性が電気信号で説明できる以上、全ての電気信号を備えた存在は知性体であり得る。この当然の原理を元に、私はあらゆる物質の知性を測ってきた。そして、とうとう辿り着いた。

山には知性がある！

彼らの知性を支える電気信号の源は、圧電効果と地電流で説明できる。詳しくは「ナチュレ」の二一九〇年十二月号を参照のこと。

理論的には、私の学説に間違いはない。しかし残念ながら二二〇五年六月現在、彼らとの意思疎通には至っていない。おそらく、彼らとわれわれの知覚には大きな差がある。私がどれほどゆっくりと彼らにメッセージを送っても、彼らにとってそれは早口に過ぎるのだ。だから私は、彼らからの応答があるまでメッセージの伝達速度を遅くするように設定した。たった一言「話がしたい」と伝えるのに丸一日、あるいはもっと長い時間がかかるだろう。

私の交信はいずれ成功することがわかっている。適切な速度が見つかるまでの、時間の問題なのだ。だから私はこの試みを実験とは呼ばない。

そして諸君、もはやおわかりだろう。このメッセージがネットワーク上に流れたということは、我が研究所のコンピュータが「大質量知性」との交信に成功したことを意味している。おめでとう。交信ログデータには、誰でもアクセスできるようにしてある。世界で初めて記録された「山との会話」を読み、そして私の名前を憶えてくれたまえ。それにしても残念なのは、交信が成功するまえに私の寿命が尽きそうだということだ。


【発信結果】

エラー。通信環境に問題があります。ネットワークが見つかりません。ケーブルが抜けているか、人類が滅亡しています。


（森島研究所交信室ログデータ）

A.D.2873

上津山に有罪判決！

下津山を殺害したとして訴追されていた上津山に対する裁判で、富士山裁判長は有罪の判決を下した。起訴から判決まで三百二十二年という、異例のスピード判決となった。

上津山は容疑を否認。裁判では、主に殺害の方法について争われた。検察側の阿蘇山《あそさん》は「上津山は有機知性体（以下、人類と表記）を誘導して下津山を殺害させた」と主張。

弁護側の榛名山《はるなさん》は「荒唐無稽な主張だ」と反論していた。

富士山裁判長は判決で人類の存在を認定。検察側が提示した、人類の代理と北岳との会話記録を証拠として採用した。その上で、「近隣に誕生した下津山が自分より標高が高かったことに大きな劣等感を抱き、殺意を抱いた。人類が自らの殺意に反応することに気づき、人類を凶器とした下津山の抹殺を計画。継続的かつ意図的に殺意を発信し、人類が下津山に憎しみを抱くよう誘導して遂には下津山を殺害せしめた。動機は身勝手で同情の余地がない。犯行は執拗で計画的、かつ隠蔽を強く目論んでおり、極めて悪質」と述べた。

検察側の阿蘇山は判決について、「当方の主張が認められた妥当な判決」との談話を発表。一方弁護側の榛名山は、「全く話にならない。北岳の会話記録が証拠として提出されて以降、弁護側も独自に人類の存在をリサーチしたが、そんなものはいなかった。北岳は誰かのいたずらに騙されたのではないか」として、控訴を検討している。

（【人類の語彙に該当単語なし】）

長井優介へ

湊かなえ

僕はN市立楠《くすのき》第三小学校に向かっている。十五年前に埋めた六年一組のタイムカプセルに封印したものを、再びこの手に握りしめるために——。

＊

季節外れの台風のような嵐のせいで、電車はときおり底からすくいあげられるように大きく揺れている。そのたびに、通路を挟んで隣のシートに座っている女子高生らしき二人組が、ヤバい、と大声を上げ合っているが、それほど切羽詰まった様子はない。めずらしいことではないのだろう。そういえば、と当時の記憶がよみがえる。

父の仕事の関係で太平洋沿岸のN市に越してきた最初の印象は、風の強いところだな、というものだった。三歳年上の姉は明るく朗らかな性格のため、引っ越しの当日まで別れを惜しむ友人たちが見送りにやってきた。途中の川原で摘んできた、黄色い菜の花の大きな束を渡されて、姉はそれを胸に抱えたまま車の後部座席に乗った。

花束は道中、シートの上に置かれ、油っぽいにおいを漂わせていた。家族全員気分が悪くなり、母から途中何度も、次のサービスエリアで捨てたら？　と言われていたが、姉は頑として首を縦に振らなかった。迷惑なだけの菜の花だったが、ようやく、N市の社宅マンションに到着し、姉が再び胸に抱えて車を降りたときだった。強風にあおられ、黄色い花びらがいっせいに空に舞い上がったのだ。

家族四人でそれを見上げた。歓迎の花吹雪のようだ、何かいいことが起きるんじゃないか、と父が言い、皆で頷《うなず》き合ったが、少なくとも僕には、いいことなど何もなかった。僕の父の勤務する大洋電機の工場のあるN市では、転校生は珍しいものではなかった。僕の編入した楠第三小学校の五年生には、全四クラスに一人ずつ転校生がいたが、僕を含め、誰も特別扱いを受けている様子はなかった。

――東京から来たの？

――いや、栃木。

――へえ、栃木も標準語をしゃべるんだ。

クラスメイトと転校生らしい会話をしたのは初日のそれくらいだ。

二日目からはもとからこの小学校にいたかのように、ドッジボールをしよう、と誘われたり、〇〇見た？　とテレビ番組の話題を振られたりした。僕が人並みに活発な子どもであれば居心地よく過ごせていたはずだ。中二の姉は、どこのグループにも入れてもらえなかったらどうしよう、と引っ越し前は毎晩のように不安をもらしていたが、学校が始まって三日目には友人を連れて帰宅し、その足で町の散策に出かけていた。

姉が連れてきたのは、友人がおらず転校生を待ちわびていたような暗い人ではなかった。姉と似た雰囲気を持ったよく笑う人で、部屋の片隅で本を読んでいる僕を見て、文学少年って感じでかっこいい、などと言い、母と姉の笑いを誘った。僕はといえば、そんなことを言われたのは初めてで、ただ頬が熱くなるのを感じながらうつむくだけだった。だが、嬉しくはあった。本を読むことを肯定してもらえたのだから。

しかし、僕を肯定してくれたのは姉の友人くらいで、同級生には一人もいなかった。いや、多分、本を否定されたのではないだろう。

僕は耳の聴こえがあまりよくない。難聴というわけではなく、聴こえてはいるが認識するのに少し時間がかかるのだ。小学一年生のときの聴力検査で、自分では音が聴こえたらすぐにボタンを押したつもりでいたが、他の生徒よりも三秒ほど遅れてランプが灯るため、病院での再検査をすすめられ、そう診断された。

聴こえているのなら問題ないと、両親はあまり深刻にとらえなかった。鈍《どん》くさいだけなのだろうと笑いながら言って、その問題は終了した。ただ、僕本人にとっての三秒は笑って済ませられることではなかった。

電車がさらに大きく揺れた。

「マジ、ヤバい」

「マジマジ、ヤバい」

女子高生二人は今度は少し大きな声をあげた。二人の言葉の継ぎ目は一秒とあいていない。だから二人で手を取り合いながら、陸橋ヤバくね？　と会話を広げることもできるのだろう。

仮に、僕に同乗者がいて、ヤバくね？　と言われて（こんなしゃべり方をする年ではないが）、三秒あけて、そうだね、と答えても、それほど同意していないと受け取られ、会話はそこで途切れてしまうはずだ。

楠第三小学校での休憩時間、本を広げているところに、ドッジボールをしよう、と声をかけられ、三秒たってから、いいよ、と本を閉じる姿は、心の通じていない相手からは、お高くとまっているように見えたらしい。そのうえ、僕の運動神経が悪いものだから、僕はそれなりに楽しんでいたつもりだったが、嫌々やっているように受け取られたのだろう。

——そんなに嫌なら、本を読んでりゃいいだろ。

一学期も終わろうとしていた頃、クラスのリーダー格の矢部敏生《やべとしお》からそう言われ、三秒遅れの反応のせいで、そんなふうに思われていたことに初めて気がついた。

前の学校では、学校の聴力検査で引っ掛かったことをきっかけに、担任が皆に話していたため、僕は三秒遅れるものとして扱われていた。しかし、転校してからは、耳のことを親が学校側に報告していなかったし、聴力検査でも聴こえていればOKなのか、学校側から指摘を受けることもなかったため、僕の事情をクラスメイトが知る由《よし》もなかったのだ。

せめて、怒る前に指摘してもらえれば、耳のことを話し、嫌な思いをさせたのを謝ることもできたのに、突然、切られたのでは、言いわけする気分にはなれなかった。いや、その気があったとしても、三秒後にはすでにボールを投げつけられていたのだから、手おくれだったはずだ。ただ、睨み返すしかできなかったことには変わりないだろう。

それでも、その後のことを考えると、耳のことを、矢部だけではなくクラスメイトたちに、伝えなければならなかったのかもしれない。たとえ、自分に欠陥があるとさらけ出すことになったとしてもだ。

言えば理解してもらえた？　思わず鼻で笑ってしまう。そんなまともな奴があの教室にいたと一瞬でも思ってしまったなんて。

電車が減速し、シュッと音を立てて停まった。駅ではない。窓の外にはれんげ畑が広がり、その向こうには海が見える。白い波が幾重《いくえ》にも連なり、風の強さが尋常ではないことが一目見ただけでわかる。

車内アナウンスが流れた。強風のため、しばらく運転を見合わせるという。少しだけどよめきが起きたが、土曜日の午後二時に田舎町へと向かう電車に、たいした目的を持つ客は乗っていないのだろうか。抗議する声は聞こえてこない。たとえ用があったとしても、強風の中、この先にある古い陸橋を渡るリスクを冒してまで運転してほしいと願うほどではないに違いない。

だが、僕はできることならこのまま運転を続けてほしかった。陸橋で転落してもらえれば、目的のために、かつての同級生たちと顔を合わせなくても済むのに――。

一つ気に入らないところが見つかると、何もかもが目についてしまうのだろう。矢部はことあるごとに僕にちょっかいを出してくるようになった。

僕が授業中に発表をすると、次の休憩時間、皆の前で僕の口マネを披露して、カッコつけてんじゃねえぞ、と僕の背中を小突く。床に置いていた絵の具のバケツをわざとひっくり返したうえに、上履きを濡らした詫びを入れろ、と土下座を要求する。そんなこと、やってられるかと無視すると、脇腹を思い切り蹴飛ばされた。

しかし、学校の帰り道で待ち伏せしたり、わざわざ家まで来て嫌がらせをすることはなかったため、夏休みは安息の日々だった。それに加え、友人らしきものもできた。

友人らしきとは、寺田浩太《てらだこうた》という姉の友人の弟だった。学年は同じだったがクラスは違っていたため、一学期のあいだ一度も口を利いたことがなかったし、名前も知らなかったが、浩太は僕のことを知っていたらしい。

寺田家の夕飯に姉が招待されることになり、浩太が、弟も呼べばいいじゃん、と提案したことから、僕も同席させてもらうことになった。僕とは違い、口と脳が直結している姉は友人の弁当に入っているおにぎりを、おいしそう、と言って一つわけてもらい、こんなおいしいもの初めて食べた、と大絶賛したことから、できたてを食べさせてもらえることになったのだ。

たこ飯を食べるのは初めてだった。たこ焼きに入っているのと同じくらいの大きさのたこが入った炊き込みご飯なのだが、ピンク色に染まったご飯には適度な塩加減とともにたこの旨味が凝縮されていて、飲みこんでは次の一口が恋しくなり、他にも用意してくれたおかずはあったのに、それには手をつけないまま、あっという間に茶碗が空っぽになってしまった。

——おかわり、入れようか？

おばさんは優しく言ってくれ、僕は、お願いします、と答えたのだが、三秒の間はこちらがためらったと受け取られてしまった。

——おなかいっぱいなら無理しなくていいのよ。デザートにスイカを冷やしてるから、そっちのぶんもあけておいてね。

一人で招待されていたらそこで茶碗を置いていた。だが、姉がすかさずフォローしてくれた。

——おかわり、お願いします。この子、ちょっと耳が聴こえにくくて、反応するのに時間がかかっちゃうんです。三秒後の返事は、即答と同じで、めちゃくちゃおかわりしたいってことなんです。ついでに、わたしにもください。

姉はそう言って、両手で茶碗を差し出した。おばさんは、そんなに喜んでくれるなんて、と姉と僕の茶碗にてんこ盛りによそってくれ、あまったたこ飯はおにぎりにして持たせてくれた。寺田家の人たちは僕の耳について何も言わなかったが、その後の会話はすべて三秒待ってくれた。浩太もだ。

その日、僕と浩太は夏休みの宿題のポスターを一緒に描く約束をして別れ、夏休みは週に二度の割合で一緒に過ごした。浩太は僕の絵を褒めてくれ、本も好きなのなら、漫画を描いてみればいいのにと勧めてくれた。だが僕は、物語を読むのは好きだったが、話を考えるのはからきし苦手で、それを浩太に伝えると、四コマ漫画を作ろうと提案された。

浩太と短いギャグをひねり出しては、絵にして二人で笑い合う。そうしているうちに、矢部にちょっかいを出されていたことなどすっかり忘れてしまっていた。

しかし、夏休みが終わると、事態はさらに悪化していった。

クラスの係は立候補制だった。定員より多く立候補者があった場合は、誰がふさわしいかクラス全員がその場で手を上げるという、無神経な手段がとられていた。僕はまず図書係に立候補した。すると、矢部も立候補した。多数決で僕は負けた。次いで僕は算数係に手を上げた。すると今度は、矢部の取り巻きが立候補し、再び多数決で僕は負けた。にやにやと笑うクラスの奴らの顔を見て、僕はそういう取り決めができていることに気がついた。

ならば誰も立候補しないものを選べばいいと、少し待っても誰も名乗り出る気配のないものに立候補すると、待ってましたとばかりに他の奴が立候補する。僕は多数決になるのが嫌で、譲ります、と立候補を辞退した。それでもクラスの奴らは僕が何かに立候補するのを待った。譲ります、と三度目に言ったときだ。

――いい加減にしなさい。

担任教師が声を上げた。二十代半ばの女性教師だった。僕はようやく気付いてもらえたかと胸を撫で下ろした。ところがだ。

――譲ります、なんて、やりたくないなら初めから立候補しなけりゃいいじゃない。高学年なんだから、自分の意見に責任を持たなきゃダメでしょう。

おまえこそ、なぜこの状況に気付かないのだと、悔しさに涙が滲《にじ》んだ。それは、僕の敗北宣言と受け取られ、クラスメイト全員からイジメられっ子と認定された。

物を隠されるのは当たり前。上履きに泥を塗られるのも当たり前。突き飛ばされるのも蹴りを入れられるのも当たり前。バカにされるのも笑われるのも当たり前。しかし、じっと耐えていた。浩太にこんなことを聞いたからだ。

――矢部の父親は大洋電機の重役で、三年生のとき矢部に意地悪をした奴の父親が、暴動が起きているような国に飛ばされて、一家で引っ越すことになった。それ以来、親が大洋電機で働いてる奴は女子も男子も矢部には逆らえなくなったんだ。

クラスは違っても、浩太は僕がイジメられていることに気付いていた。先生に告げ口したい思いはあるが、できない理由を僕が相談もしないうちから言ってきたのだ。だけど、と浩太は続けた。

――今より酷《ひど》いことはしないと思う。矢部はマザコンで母親の前ではいい子ちゃんを演じているから、先生が家にまで連絡をするようなことはしないはずだ。

あの担任でなければ、矢部はもう少し手加減していたということだ。

しかし、矢部は調子に乗り過ぎて、一線を越えてしまった。

三学期が始まったばかりの頃だった。給食の時間、矢部がいきなり、僕の牛乳をひょいと取り上げ、持っていってしまったのだ。特別、のどが渇いていたわけでもなく、牛乳が好物というわけでもなかったので、嫌がらせを受けたという気分にはならなかった。

ところが、その一週間後の昼休み、矢部があのときの牛乳を返すと言ってきたのだ。

今、この場で飲め、と。

――そんなこと、できないよ。

僕ははっきりと断った。

――何言ってんだ。給食は残しちゃいけないんだぞ。

矢部は笑いながらそう言うと、周囲をあおり、飲めコールを始めた。早くしろよ、ドッジボールする時間がなくなるだろ、といった野次に混ざって、また転校か？　という声が聞こえた。

父さんが危険な国に行かされる……。僕は紙パックにストローを突き刺し、牛乳を一気に吸い上げ飲み込んだ。牛乳は思っていたほど傷《いた》んではいなかったが、途中でむせて、机の上に吹きこぼしてしまった。それもなめろと言われ、僕は頭の中を空っぽにしながら命令に従った。

――きったねえ。

矢部が叫び、笑い声が教室中に響き渡った。込み上げる涙を歯を食いしばってこらえながら思った。三秒遅れで聴こえるくらいなら、いっそまったく聴こえない方がよかったのではないか。こいつらの声なんか聴きたくない。こいつらの姿なんか見たくない。こいつらと関わり合って生きていかなければならないなんて、まっぴらだ。

初めて、死にたいと思った瞬間だった。

死にはしなかったが、その晩、腹の痛みでのたうちまわり、僕は病院に運ばれた。牛乳のせいだとわかり、母は給食に期限切れの牛乳を出したことを学校に抗議すると言い出した。新聞沙汰になりかねないから原因をきちんと調べてからにした方がいい、と父がなだめているのを聞き、僕は本当のことを打ち明けることにした。

なんてこと！　と母が泣きだすのは予想できていたが、父が両手をつよく握りしめ、母以上に怒りを露《あらわ》にしていたのには驚いた。

――優介《ゆうすけ》をいったい何だと思っているんだ。

夜中にもかかわらず、父は担任の家に電話をかけた。担任が出ないと、次は電話帳で校長の番号を調べてそのままかけ、僕が受けた仕打ちについて説明し、学校側はどう対処するつもりなのかと厳しい声で問うてくれた。

翌日は土曜日だったが、昼過ぎには校長と担任が我が家までやってきた。午前中に矢部の家に行き、矢部が僕にどうしてあんなことをしたのか訊いてきた、と担任は矢部の母親の言葉を代弁した。

――矢部くんのうちでは、成長のために毎日牛乳を飲まなければならないと、お父さんが厳しく言い聞かせていたので、矢部くんは外遊びが苦手な長井《ながい》くんにも牛乳を勧めたんだそうです。

――それだけ？

父が問い返すのに三秒間があいたのは、僕と同じ理由からではない。まさか教育者二人がそんなバカげたことだけを伝えるためにやって来たとは信じ難かったからだ。

――消費期限が切れていたことに、矢部くんは気付いていなかったそうです。

担任はレースのついたハンカチで涙を拭いながらそう付け加えた。泣く理由がわからなかった。どうしてこんなやっかいなことに巻き込まれなければならないのかと、自分の運のなさを嘆いていたのではないだろうか。

母は、ふざけるな、と言い放ち、その場で矢部の家に電話をかけた。皆が息を飲んで、母の様子を窺っていた。母は受話器を握りしめたまま十分近く黙り続けたあとで、こう言った。

――バカ息子ができあがる行程がよくわかりました。今後、また被害を受けることがありましたら、今度はボンクラ職員しかいない学校ではなく、直接警察に訴えますので、息子さんにもきっちりお伝えください。

受話器を置き、そういうことですので、と校長と担任にも言いきって、二人を追い返した。矢部の母親は泣きごとを言い続けていたらしい。

夫が治安の悪い国へ単身赴任に出ていて、子育てを自分一人で引き受けなければならない状態にある。それでも息子はとてもいい子で反抗など一度もしたことがない。こんな言いがかりをつけられたのは初めてだ。もし牛乳を飲ませたのが事実だとしても、それは父親の言葉をいつも意識しているということで、悪気があったわけではない。と、謝罪の言葉はまったくなかったらしい。

父は僕が矢部の命令に従った理由を知ると、たとえ社長でもそんな身勝手な人事はできない、と僕を安心させる言葉をかけてくれた。この家族のもとに生まれていなければ、三秒遅れの僕はもっと早くに人生に見切りをつけていたのではないだろうか。

電車が動き出す気配はまったくない。それどころか、風はさらに強くなっている。女子高生二人組は携帯電話でメールを打ち続けている。何を書いているのかのぞいてみたい気もするが、通路を行き来する人が増えたせいで、身を乗り出すことができない。車掌を捜しているのか、座りっぱなしで退屈になったのか。自動販売機があるのなら、僕も飲み物を調達したい。

「あ、ホントだ」

男の大きな声が聞こえたかと思うと、ぽんと肩をたたかれた。

「お帰り、優介」

ニッと笑う顔は十五年前とまったく変わっていない。浩太だ。

「誰か知り合いがいないかなってうろうろしてたら、島本《しまもと》と会ったんだ。ちょっと話してると、O駅でおまえっぽい人が同じ電車に乗るのを見かけたって言うから、探しにきたんだけど、ちゃんと、帰ってきてくれたんだな」

浩太は抱きつかんばかりに僕に顔を近付けてそう言うと、勝手に四人掛けシートの向いに座った。

「今、何してるんだ？」

馴れ馴れしく訊いてくる。答えたくなかった。

「おまえは？」

「俺は中学の教員をしているんだ。体育のね」

子どもたちに同情する。過去の出来事をまったくなかったことにできるような奴を先生と呼ばなければならないのだから。今日は午前中に出張があってさ、などと訊いてもいないことまで話しだすあたり、充実した日々を過ごしているのだろう。だが、僕が耳を傾けてやる義理はない。

「姉ちゃんは、元気にしてる？」

「うん。あの人はね」

浩太は僕の反応など無視して、話を続けた。

「うちのおかんの作ったたこ飯を、美味《うま》い美味い、って食ってくれてたよな。おまえも」

「そう、だったな」

「結婚は？」

「まだ。……ああ、どっちのことかわからないけど、僕も姉さんも両方」

「そうか。うちは、俺はまだだけど、姉ちゃんは去年の秋に結婚したんだ。そういや、おまえの姉ちゃんからお祝いが届いて、喜んでたよ。こっちもそのおかげで、おまえに同窓会の案内状を送ることができたし」

　同窓会の案内が実家から転送されてきた理由も思った通りだった。二年間過ごした町を離れる際、僕は誰にも新しい住所を告げなかった。我が家はそれから二回引っ越し、僕は大学進学を機に実家から出たため、昔の知り合いからの便りが届くとは思っていなかったのだが、届いてみれば、やはりな、と簡単に受け入れることができた。そのうえ、あの町と繋がりを保ってくれていた姉に感謝すらした。

「そういや、おまえ、K大行ったんだって？　すごいよな。うちの親父は地元採用だったから、転勤族の子は大変だなって思ってたけど、中学入ると、N市じゃたいした塾もないし、都会に住めるのもいいなあ、ってうらやましく感じたこともあったんだ。まあ、おまえ、もともと頭良かったし、家庭教師も雇っていたもんな」

　姉は想像以上に僕の情報を寺田家に流していたようだ。しかし、家庭教師に関しては、六年生になって頼んだので、僕自身が浩太に話したかもしれない。ただ、家庭教師は僕のためというよりは、中三になった姉のためだった。

父の同僚の息子で、自宅から地元の国立大に通っている人がいて、週に二回、六時から九時までの三時間来てもらうことになり、最初の一時間を僕に当ててもらっていたのだ。名前は緑川明《みどりかわあきら》、理学部化学科に在籍していると言っていた。

「優介はどうせ、いい会社に入ってるんだろ。でも、俺はおまえに漫画家になってほしかったよ。生徒たちにも自慢できるしさ。先生はおまえらの大好きな漫画家、長井優介と一緒に漫画を描いてたことがあるんだぞ。なんてな。俺さ、タイムカプセルにおまえと作った漫画も入れてるんだ。楽しみだよな」

楠第三小学校六年一組同窓会は午後四時からだ。僕が四時間かけてN市を訪れ、それに参加するのは、昔の同級生たちに会いたいからでは、決してない。卒業式の日に埋めたという、タイムカプセルの中に入れたものを、取りに行くためだ。

「自分への手紙は絶対入れなくちゃならなくて、あとは、A4サイズのナイロン袋一枚に入りきるもの、だったよな。おまえは何入れた？」

「手紙、だけだ」

「そうか。まあ、俺も漫画がなけりゃ、そうしたかな。できの悪いテストや作文を入れても恥ずかしいだけだし。でも、俺はおまえと会えたことが嬉しいよ。まさか、こんな田舎まで帰ってきてくれるなんて」

「イジメられていたから？」

浩太がぐっと息を飲み、口を閉じた。

「さっきから、さも友だちだったような言い方してるけど、自分もイジメに加担していた側なのに、恥ずかしくないの？　それとも、やった側は十五年も経てばすっかり忘れて、調子のいいファンタジーを平気な顔して作れるわけ？」

「待ってくれ、俺のこと、ずっとそんなふうに思ってたのか？」

「ホント、あきれるよ。時間が解決してくれるなんて思ってるとか。僕はあの日の屈辱を今でもはっきりと思い出すことができる」

六年生は浩太と同じクラスになった。矢部も一緒だった。矢部は牛乳の件以来、僕にちょっかいを出すことはなくなり、むしろ、ドッジボールに誘ってくれたり、図工の共同制作で同じグループに誘ってくれたりと、とても愛想よくふるまっていたので、担任は僕たちの問題はすっかり解決したと思い込んでいたのだろう。矢部は母親に対して、名誉挽回したかっただけなのに。

それでも、六年生の一学期は穏やかに過ごすことができた。休憩時間は浩太と一緒に漫画を描くこともあったし、矢部たちのドッジボールに参加することもあった。僕が返事に三秒遅れるのを浩太がフォローしてくれていたところもある。運動神経のいい浩太が遊び仲間に加わることを矢部は喜んだし、浩太もそれほど矢部を嫌っているふうには見えなかった。

――あいつはやり方を間違っているところはあるけど、勉強もスポーツも一番になりたいっていう、向上心を持ってるところはえらいと思うんだ。実際、陸上部と野球部に掛け持ちで入ったり、隣町の塾まで通ったり、努力してるもんな。去年、優介にちょっかいを出していたのも、おまえの方が頭いいからヤキモチ焼いてたんだよ。

そんなふうに褒めていたこともある。だから、協力してやったのだろう。

矢部が一番になることに。

「運動会のこと、だよな」

浩太がポツリと言って、窓の外に目をやった。

「憶えてるんじゃん」

僕も同じ方を見た。海がどこにもぶつからないまましぶきを上げている。

運動会、六年生が参加する種目は組み体操と騎馬戦とリレーだった。五年生のときはあった徒競走がなくなり、クラス全員リレーになったのは、ゆとり教育の影響だ。個人の順位を出さない。しかし、中には順位を出してもらいたい奴もいるし、この日にかけている奴もいる。

僕はクラスの男子の中で一番足が遅かった。だが、クラス全員リレーにしてもらえてありがたいとは思わなかった。むしろ、同じ一〇〇メートルのトラックを一周しなければならないのであれば、徒競走を残しておいてほしかった。

徒競走なら、僕のビリは僕だけの結果だ。だが、リレーで抜かされてビリになるのは、僕だけの結果ではなくなる。四クラス対抗リレーで、練習中、僕はどの場所に配置されても、一番でバトンを受け取り、渡す時にはビリになっていた。そして、アンカーの矢部は二位でゴールしていた。

矢部はどうしても一位になりたいと男子全員の前で宣言した。そのために、僕の前後に足の速い奴を配置したり、他のクラスにさぐりを入れて、僕が足の遅い奴と当たるように必死で作戦をたてたが、どれも上手くはいかなかった。先頭を走りたいなら、矢部が第一走者になればいいのではないかと、浩太に提案してもらったが、矢部はゴールテープを切りたいのだと、アンカーを譲らなかった。

僕も努力はした。二学期に入ってからは毎晩、姉と自宅の周りを一キロほど走っていたし、家庭教師の緑川先生には早く走れる理論を教えてもらい、フォームを確認してもらったり、タイムを計ってもらったりした。もちろん、放課後は矢部や浩太と一緒にリレーの練習をした。おかげで僕なりに少しは速く走れるようになっていたが、リレーの練習結果にはそれほど反映されなかった。

前の小学校では僕程度の足の速さの奴は他にも数人いたが、風の強いあの町では、誰もが颯爽《さっそう》と走っているように僕は感じた。三秒遅れの反応も、この町の人たちには五秒にも十秒にも感じるのではないかとも、走りながら思った。それでも、リレーに出たくないと考えたことは一度もなかった。

そして、運動会当日。僕がリレーを走ることなく、その日は終わった。病気になったわけではない。騎馬戦も組み体操も目立たない位置につきながらも、きちんと参加した。弁当は寺田家と並んでシートを敷き、母の作ったおにぎりよりも、おばさんがつくったたこ飯のおにぎりをたらふく食べた。僕の姉と浩太の姉も見に来ていた。

午後一番の種目が六年生によるクラス対抗全員リレー、男子の部だった。弁当を食べ終えて、浩太と一緒に入場門に向かっていると、浩太が教室にはちまきを忘れてたと言いだした。他の種目は赤白帽をかぶっていたが、リレーはクラスごとに色分けされたはちまきをしめることになっていたのだ。一組は黄色だった。浩太が便所にも行きたいと言うので、僕が代りにはちまきを取りに行ってやることになった。

無人の校舎に入り、三階に上がり、教室に入ってグラウンド側の後ろから二番目の浩太の机を覗いていると、カタンと音が聞こえた。何だろうと、ドアに手をかけたが、まったく動かない。壊れた箒《ほうき》の柄をつっかい棒にしているイメージが頭に浮かんだ。浩太とこれをネタにした漫画を描いたばかりだったからだ。六年一組の教室は廊下の突き当たりに位置し、左右の窓の外にベランダはなく、窓から脱出することは不可能だった。

僕は教室に閉じ込められたのだ。

グラウンドから軽快な入場曲が流れるのが聞こえ、僕はそっと窓を開けた。第一走者は浩太だったはずなのに、スタートラインには矢部が立っていた。スタートの合図とともに矢部は先頭に躍り出し、トップのまま第二走者の浩太にバトンを渡すと、待機走者の最後尾につき、アンカーのたすきをかけた。浩太は二番手をさらに引き離しながら、矢部よりも颯爽と走っていた。頭にはしっかりと黄色いはちまきが巻かれていた。

黄色いはちまきは途中二位になることはあったが、最下位に落ちることはなかった。そして、アンカーへ。一位の走者から約五メートル遅れてバトンを受け取った矢部は猛スピードで追い上げ、保護者用のテントが並ぶ直線コースで前の走者と競り合い、抜き去り、カーブを曲がると、バトンを持った手を振り上げ、そのままゴールテープに飛び込んだ。

黄色いはちまきが矢部を取り囲んだ。大歓声は僕の耳にまで響き……プツリと消えた。

それ以来、僕は浩太と口を利いていない。話しかけられても、電話をかけられても、家まで来られても無視をした。浩太だけではない。クラスの誰とも口を利かなかった。三秒経っても、誰の声も僕の耳に入ってこなかったからだ。

家族の声も入ってこなかった。僕は再び、母に付き添われて耳鼻科を訪れたが、医者が何と診断したのかも聞こえなかった。外科治療もなかったし、薬も出されなかった。おそらく、精神的なことが要因だと判断されたのだろう。

家族は僕に何があったのか筆談で聞き出そうと試みたが、僕はただ首を横に振るだけだった。教室に閉じ込められたことを話し、牛乳のときのように母が今度は浩太の家に電話をかけても、僕の耳に音が届くようになる気がしなかったからだ。いや、いっそ何の音も聞こえないほうがマシだったかもしれない。

僕の耳元では、起きているあいだじゅう、風の音がごうごうと響くようになったからだ。

「……ダメだったのか」

浩太がポツリとつぶやいた。

「何？」

「あ、いや、……耳はどうなんだ？」

浩太が遠慮がちに訊いてくる。

「普通に聴こえてるよ。相変わらず、三秒遅れだけどね」

「そうか、よかった。……いつ、治ったんだ？」

耳が聴こえなくなったことを僕は誰にも言わなかったのに、浩太は知っていたのか。

「三学期には聴こえていたよ」

「そう、なんだ……」

僕は耳が聴こえるようになっても、N市にいるあいだは聴こえないふりをしていた。学校で聴きたいことなど何もない。話したいことも何もない。僕を救ってくれたのは浩太やクラスの奴らではなく、家庭教師の緑川先生だったのだから。

緑川先生は初めて会ったときから、姉が口添えすることなく、三秒遅れの僕の反応を自然に受け止めてくれていた。耳のことは知らずに、それが僕の会話のペースだと理解してくれていたのではないだろうか。

僕の部屋の本棚に海外ミステリーの文庫が並んでいるのを見て、小学生なのにこんなの読めるんだ、と感心し、自分の持っている本をいくつか貸してくれた。僕が勉強を見てもらうのは一時間だったが、半分は本の話をしていたはずだ。

リレーの結果も期待してくれていた。

耳が聴こえなくなってから、母は緑川先生に僕の授業を断ったが、緑川先生は、聴こえないからこそ、しっかりと家庭学習しなければ、と筆談をまじえながら、僕に勉強を教えてくれた。学校の授業はノートをとっていただけなのに、成績が落ちなかったのは、緑川先生のおかげだ。だけど、僕は勉強してどうなるのだろうとも考えていた。

『生きていたって何もいいことはない。ずっとそう思い続けているのに勉強もしている僕は、実は心の底ではものすごく死を恐れている、ただの臆病者ではないだろうか』

そう書いた紙を、緑川先生に借りた本に挟んで返したことがある。先生なら、優介は臆病者なんかじゃない、と言ってくれるのではないかと期待していたのだ。

その翌週、緑川先生は僕に細長い箱を差し出した。表面をスライドさせて開ける、アーモンドチョコレートの箱だった。たまにおやつを持って来てくれることがあったため、てっきり中にはチョコレートが入っていると思いながら開けると、一粒もなく、半透明の顆粒状のものが入った小さなナイロン袋が折りたたんで入れられていた。

何？　と首をかしげて訊ねると、先生は僕との筆談用のメモ帳にさらっと書いた。

『青酸カリ』

推理小説を好んで読んでいた僕にはそれがどういうものかすぐに理解できた。劇薬だ。先生は続けて書いた。

『研究室からパクってきた』

――どうして僕に？

訊ねると、先生は少し驚いた顔をした。僕が口も利けなくなったと勘違いしていたようだ。僕自身、忘れていたことだった。それほどに、青酸カリは僕にとって衝撃的なものだった。先生は鉛筆を動かした。

『優介の好きなように使えばいい。いつでも好きなときに死ねると解れば、案外、ラクに生きれるもんだ』

――先生も死にたいと思ったことがあるの？

その問いに対しては、先生は薄く笑い返しただけだった。

僕は毎日、学校から帰ると、チョコレートの箱から青酸カリの入ったナイロン袋を取り出して、手の中に握りしめた。そうしていると、耳元でうなる風の音が消えていった。これを飲めば、今すぐにでも死ねる。だけど、人生において、今日が最悪な日というわけではない。ならば、明日も生きてみてもいいのではないか。もしも明日が最悪な日ならば、これを飲めば終わらせることができるのだから。

その思いで、僕は一日、一日と生きながらえていった。生きていくことがそれほど苦ではなくなってもいった。それを自覚するごとに、僕の耳は徐々に周囲の音を受け入れるようになっていった。

耳がほぼ通常の状態に戻りかけた頃、父の転勤が決まった。地方とはいえ、今度は政令指定都市だった。僕は引っ越した先の公立中学へ通えばいいだけだったが、姉は選択肢が増えた分、受験勉強に力を入れなければならなくなった。聴こえるようになったというのはいいニュースだろうが、姉の受験が終わるまで僕は空気でいた方がいいだろうと、耳のことを家族には黙っておくことにした。

緑川先生にだけそっと打ち明けた。

――じゃあ、アレを返してもらおうかな。

先生は軽い口調でそう言ったが、僕は、また必要になる日がくるかもしれないから持っていてもいいかと訊ねた。

――厳重にしまっておくんだぞ。だけど、なるべくなら捨ててしまった方がいい。

先生の言葉を頭の中で何度も繰り返し、僕は青酸カリの封印の仕方を思いついた。

連結部のドアが開いた。

「あ、いたいた」

茶髪の女がこちらへやってくる。

「ホントに長井くんだったんだ。寺田、あたしってすごいでしょ」

「そう、だな」

浩太がどこかホッとした様子で答えた。

「長井くん、あたしのこと、憶えてる？」

「島本、あおい？」

「すごい、フルネームだ。さすが、長井くん」

「同窓会の案内状の差出人が島本だったから」

「なんだ、それでか」

島本は、納得、と頷きながら浩太を窓側に追いやり、隣に座った。島本の名前がすぐに出てきたのは、浩太が、島本が僕をみかけた、と言っていたからだ。ばったり会っていれば、誰だかわからなかったはずだ。

黒髪を二つにくくり、前髪を眉の上で切りそろえ、赤いふちのメガネをかけていた委員長の島本と、目の前の茶髪につけまつげの島本は十五年の年月を加味しても、僕の頭の中では重ならない。

だが、ドアが開いて彼女の姿が見えたとき、運動会の日の続きをふっと思い出したということは、無意識の部分で彼女が島本だと判別していたのかもしれない。

リレーが終わってしばらくすると、急に教室のドアが開いた。

島本が驚いた顔をして立っていた。何か口を動かしていたが、彼女の言葉は僕の耳には届かなかった。僕はそのまま教室を飛び出し、家まで走りかえった。

後日、僕が閉じ込められたことについての学級会が開かれることはなかった。島本がつっかい棒に気付いていれば、必ず先生に告げ口したはずだ。ということは、島本が来る前に浩太か矢部かそのパシリが、こっそりとつっかい棒を外しに来て、去っていったに違いない、と解釈した。ただし、そんなことはどうでもよかった。先生に事実が伝わっても、何の解決にもならないことはわかっていたからだ。

「何の用?」浩太が島本に訊ねた。

「風が怖かったから、とは思ってくれないんだ」

「ああ、なるほどね。で、本当の用件は?」

「同窓会、遅れるかもしれないって、幹事に連絡しようかと思ったんだけど、ついでに寺田もって言っておこうかなって、訊きに来たの。長井くんも一緒だって、伝えとくね」

島本が携帯電話を取り出した。

「僕はいいよ」

「どうして？」

「タイムカプセルの中身だけもらったら、すぐに帰る予定だから」

「宴会には出ないの？　ちゃんと、長井くんも人数に入ってるのに」

「会費は払うよ」

「そういうことじゃなくて……」

「別の用があるんだ」

「そっか、残念。でも、わざわざタイムカプセルのために帰ってきてくれたんだ。みんなに呼び掛けて、よかったな」

「言い出したの、島本だっけ？」

浩太が訊ねた。

「うん。ドラマに出てきたのを見て、いいなあって思ったんだ」

「どうして、十五年後にしようと思ったんだ？」

「ドラマも十五年後だったから。でも、よく考えると、ドラマでは中学の卒業記念に埋めてたから、十五歳の十五年後で、ちょうど三十歳になるんだよね。人生の節目って感じでしょ。なのに、十二歳の十五年後ってなんだか中途半端」

「節目じゃないよな」

「もうちょい先でもよかったかもしれない。それに、あのときは十五年後ってものすごく先のように思えたけど、過ぎてみると、けっこう記憶が残ってるんだよね。あたし、自分に書いた手紙の内容、全部憶えてるもん」

「全部は言いすぎだろ。俺はほとんど憶えてない」

「寺田は昔からのほほーんとしてるもん。思いを込めずに書いたってことじゃないの？」

「まあ、自分に贈りたい言葉なんて、なかったしな」

「確かに。あんたの封筒ぺらっぺらだったもんね」

「何でおまえ、そんなこと知ってるんだよ」

「だって、あたし、実行委員だもん。ちゃんと全員分を確認して、タイムカプセルに詰めたんだよ。だから、長井くんの手紙がものすごく分厚かったことも憶えてる。でも、秀才の長井くんなら、どんなこと書いたのか、憶えてるんじゃない？」

島本が僕に言った。

「僕はそんな手紙は出してない。誰かと勘違いしているんじゃないかな」

「そんなことない。封筒にちゃんと名前が書いてあったもん」

「記憶の中で名前が書き変わってるんだよ、きっと。だって、僕は普通の封筒に入れてないんだから」

　手紙とは、便せんに文字を書いて封筒に入れたものだけを指すわけではない。メッセージが込められていれば、中身は文字である必要はなく、ボトルを海に流すという例もあるのだから、入れ物が封筒である必要もない。

「じゃあ、何に入れたの？」

「チョコレートの箱」


　封印したはずの青酸カリを、もう一度求めたのが先だったのか、同窓会の案内状が届いたのが先だったのか。N市を去ったあとの学生生活はそれほど充実していたわけではないが、死にたいとまで考えたことはなかった。

　皆で仲良く何かをしなければならない、ということがなくなり、僕の反応が三秒遅れていることさえ、周囲には気付かれていなかったのではないだろうか。毎年クラス替えがあっても、同じクラスに三人は僕と同じくらいのペースの奴がいて、そいつらとのんびり過ごしているうちに時間はゆっくりと過ぎていった。

　本が好きだという同じ趣味を持つ友人もでき、ミステリー小説に出てくるトリックや毒薬の話題で盛り上がることもあった。その中でも特に皆が興味を示したのが青酸カリだった。本当に、少し飲んだだけで死んでしまうのかな。飲んですぐに死んでしまうケースが多いけど、あまり苦しまずにすむのかな。アーモンドのような匂いがするって本当なのかな。

そんなとき、僕はいつも、手の中に青酸カリを握りしめていたときのことを思い出していた。死が間近にある感覚。命を握りしめているという万能感。偉大なパワーを得たようで、自分が普通の人間よりも半歩踏み出した存在に思える。

必ずしも青酸カリを自分のために使う必要はない――。このことに気付いたのは、すでにタイムカプセルに封印したあとだった。緑川先生が捨てることを勧めた理由を理解することもできた。

だが、今僕は誰かに飲ませるために、青酸カリを必要としているのではない。十五年経っても、終わらせたいと願うのは、やはり自分の人生だった。

僕は仕事をしていない。僕を雇いたいという会社がどこにもないからだ。就職活動は当初、順調に進んでいると思っていた。不況と呼ばれる中、一部上場企業ばかり二十社、最終面接まで進めていたのだから。しかし、内定通知をくれたところは一つもなかった。

最終面接は重役数人との個人面接がほとんどだったが、特に、おかしなことを答えたとは思っていない。落とされる理由がわからなかった。そんな中、ある金融関係の会社のOB訪問の際に世話になった先輩から、僕が落とされた理由を聞くことができた。

——頭もいい。マナーもいい。だけど、絶対にこの会社で働いてやる、っていう熱意が感じられなかったんだってさ。

一社からの答えであったが、僕は全部の会社がそういう理由だったのだろうと考えた。そして、熱意がないと判断されたのはやはり、三秒遅れの反応のせいではないかと思い当たり、自分を呪《のろ》った。

社会人になるということは、自分と合う人間とだけ一緒にいればいい、中学、高校、大学よりも、皆で一緒にということを重視する、小学校でのあり方に近いのではないかと僕は思う。就職が決まらないからといって家でごろごろしているわけにはいかず、アルバイトは途切れることなくやっているものの、同じ職場で半年以上続いたことはない。

どこにも必ず矢部のようなえらそうな奴がいて、僕は何かと目の敵《かたき》にされ、気が付くと、職場内全体からはじき出されているのだ。空気が変わったことを感じては自分から去り、新しい職場を求める。しかし、それを繰り返していくと、今度は正社員としての面接を受けた際、協調性がない、こらえ性がないと判断されてしまう。

二十代で仕事が決まらないのに、三十代で決まるはずがない。四十代、五十代、と自分がどんな人生を送っているのか想像ができない。浮かぶのは、野垂れ死にをしている姿ばかりだ。

小学生の頃は僕の味方をしてくれた両親も、近頃は、少しくらい合わない人がいても我慢してみてはどうだと、仕事を辞めるのは僕のせいであるかのように意見するようになった。都市銀行に就職した姉は、どこに行っても嫌な人は絶対にいるものよ、と僕を叱咤する。

この世に僕を受け入れてくれる人などいないのだ。そんな思いが蓄積していくに連れ、僕は青酸カリを思い出し、もう一度、この手に強く握りしめたいと願うようになった。たとえ、それだけでは何も解決しないとわかっていてもだ。

タイムカプセルを掘り起こすのは十五年後だということは憶えていた。その日をデッドラインとして、生きてみることにした。しかし、僕のところに同窓会の案内状が届くとは限らない。むしろ、届かない可能性の方が高い。それは、もう僕に青酸カリを手にする資格もなくなったということだと判断し、年内に届かなければ別の死に方を選ぼうと決めていた。

しかし、案内状は届いた。僕はもうすぐ死をこの手に握りしめることができるというのに、電車は停まったままだ。

「思い出した。回収用の紙袋の中にアーモンドチョコの箱が入ってた」

島本が手を打ちながら言った。

「それだよ、僕のは」

「長井くんのだったんだ」

「ちゃんと裏に、名前書いてたけど」

「気付かなかった。……でも、あれはタイムカプセルには入れてない」

「何だって！」

島本の言葉をもう一度、頭の中で繰り返す。タイムカプセルには入れていない。なら、僕は何のためにここにいるのだ。

「じゃあ、どこに？」

「捨てちゃった」

まったく悪気がなさそうに島本は答える。

「食べ物は禁止って言ったじゃない」

「箱はチョコレートのだけど、中までそれを入れてるはずないじゃないか」

「だって、他にもう一人いたのよ。バレンタインに好きな子からもらったチョコを持ってきてた子が」

頭を抱えてしまいたい気分だ。

「じゃあ、返してくれたらよかったのに」

「だって、誰のかわからなかったんだもん」

「名前を見落としても、僕のだけ出ていなければ、気付くだろう」

「だから、ちゃんと捜したわよ」

島本は腹をたてたように大きく息をつき、卒業式の日の午後のことを説明した。

卒業式は午前中に終了し、島本他三名のタイムカプセル実行委員は親と一緒に家に帰ってから、昼食後、再び、学校に集合した。作業は調理室で行われた。

島本らはカプセルを卒業記念樹の横に埋めたいと希望したが、担任から校舎の床下に保存することを提案された。担任は中学生のとき、タイムカプセルを校庭の桜の木の根元に埋めたが、後に掘りおこすと箱の中に泥水がたまっており、中身をすべて捨てることになってしまったのだそうだ。それを聞いて島本たちは納得し、床を開閉することができる第二校舎一階端にある調理室の床下が選ばれた。

タイムカプセルの入れ物は、担任がホームセンターで購入した蓋つきのポリバケツで、島本たちは教室の後に設置していた回収用の紙袋に入っていた品を、名簿にしるしをつけながら個々の名前を貼ったナイロン袋に、乾燥剤と一緒に入れていった。

「長井くんのがなかったから、教室に探しに行ったの。そうしたら、長井くんの机に『長井優介へ』って書いた手紙が入っているのを見つけて、あったあった、って調理室に戻って袋に入れたんだけど。じゃあ、あれは何だったの？」

訊かれても、僕にはわからない。

「……俺が書いた手紙だ」

突然、浩太が言った。

「どういうこと？」島本が訊ねる。

「まさか、タイムカプセルに入れられたとは……」

浩太は卒業式の前日、僕に手紙を書き、朝、それを僕の机の中に入れたという。僕はまったく気付かなかった。子どもの学校行事は社宅の契約期限に何も反映されず、引っ越しは卒業式の三日前に行われ、僕と母は駅前のビジネスホテルに泊まっていた。そのため、配布物などは僕だけ特別に引っ越し前に受け取っていたので、卒業式の日は卒業証書の入った筒を持って帰ればいいだけだった。

「だから、机の中は一度も見なかったんだ」

「そうか。俺はてっきり読んでもらえてると思って、ずうずうしく返事まで待ってたんだけど……。そういうことなら、今でも俺を許せなくて当然だよな」

浩太は大きく息をついた。謝罪の手紙だったということか。

「どんなこと書いてたの？　……って、あたしが訊くことじゃないか」

島本が口を挟んだ。

「島本には関係ないことだけど、届いてなかったんなら、ここで謝っておかなきゃいけないよな。運動会のリレー、うちのおかんのせいで、本当にゴメン」

やはり、と感じたものの、おかん、には眉をひそめてしまう。

「なんで、おばさんが関係あるんだよ」

「優介がリレーに出られなかったの、腹こわしたからじゃなかったのか？　てっきりそうだと思ってたから、おかんを問い詰めたんだ。そうしたら、たこ飯のおにぎりをはりきって前の晩から作ってたなんて白状して、やっぱりなって確信した。優介、練習がんばってたもんな。でも、そんなにも怒ることじゃないだろうってちょっと思ってたところがあって、ちゃんと謝らないままだったんだけど、卒業式の前日に、姉ちゃんから、運動会の日からおまえの耳が聴こえなくなっていたことを聞いたんだ。俺がちゃんと謝らなかったせいだって思って、手紙を書いた。他にも書いているうちに、楽しかったことをいっぱい思い出して、便せんに十枚くらいは書いたんじゃないかと思う」

浩太の言葉をとまどいながら頭の中で整理した。浩太は僕がリレーに出られなかったのは腹をこわしたせいだと思っていた。その原因が、おばさんの作ったたこ飯。

「そんなバカなことで怒るはずないだろ。僕はリレーのとき、教室に閉じ込められていたんだ。その教室にはちまきを取りに行ってくれと僕に頼んだのは、おまえじゃないか。なのに、おまえははちまきを締めて走っていた。本当は矢部に頼まれて、僕を教室に閉じ込める手助けをしたんじゃないのか」

「違う！」

声を上げたのは、浩太ではない。島本だった。

「二人のあいだにそんな誤解があったなんて。あたしのせいだ……」

「どういうことなんだ？」

浩太に訊かれ、島本は僕の顔を窺《うかが》いながら、ポツリポツリと話しだした。

「あたしはクラス委員長で、運動会の日は先生から教室の鍵を預かっていたの」

島本が言うには、運動会の日は競技中、教室を施錠することになっていたらしい。しかし、昼休みのみ、保護者の来ない児童のために、教室を開放していたという。午後からの競技が始まる前、島本は教室に上がり、閉まったままのドアに鍵をかけた。担任から、うちのクラスは誰も教室で弁当を食べていなかったと聞いていたからだ。

「まさか、長井くんが中にいるとは思ってもいなかった」

僕と浩太は同時に顔を見合わせた。なんてことだ、とため息をつきたいような、泣き出したいような、なさけない顔をした浩太を見ながら、僕も同じ顔をしているのだろうと思った。

「グラウンドに戻ると、入場門に男子が整列しているところで、寺田に、長井くんを見なかったかって聞かれて、知らないって答えた。そうしたら、寺田、矢部をきつく問い詰めたよね」

島本に言われて、浩太は頭をかきながら頷いた。

「保護者席に矢部の親父がいるのに気付いたんだ。矢部と仲のいい奴に訊いたら、外国に単身赴任中なのに、小学校最後の運動会を見るために一時帰国してくれたらしい、って言われて、矢部は一位になるために、優介に何かしたんじゃないかと思ったんだ」

「寺田の言い方がいかにも疑っているみたいだったから、矢部もムキになって、ケンカが起こりそうになったの。そうしたら、誰が言ったんだっけ？」

「忘れた。でも誰かに、さっき校舎の一階の便所に並んでいたら、奥の個室がずっと閉まったままになってたけど、優介が腹でも壊したんじゃないか、って言われたんだ」

「寺田は様子を見てくるって言ったんだけど、競技が始まる時間になって、あたしが代りに行くことにしたの。寺田がはちまきをしてないことに気付いて、貸してあげたのもあたし」

　僕の知らないところで、そんなことがあったとは。島本はわざわざ男子便所をのぞき、誰もいないことを確認してグラウンドに戻ったという。矢部は当初、僕の順番のところを走ると言ったが、アンカーで走る際になるべく全力で走れるようにと、男子全員で第一走者を勧めたらしい。結果は一位。

「みんな喜んでたけど、寺田は全然嬉しそうじゃなかった」

　島本が言った。リレーが終わり、浩太は島本のところにはちまきを返しにきた。

「汗が染みたはちまきを渡されたから、なんだかなって、どうして自分のを持ってこなかったのよ、って文句を言ったの。そうしたら、教室に忘れていて、優介に頼んでいたんだって言われて、あたしは自分がとんでもないことをしたんじゃないかって気付いたの」

「何で、そのとき俺に、優介を教室に閉じ込めてしまったかもしれないって、言ってくれなかったんだよ」

「だって、矢部にあんな怖い聞き方してたのに、言えるはずないじゃん」

　島本は一人で教室に上り、鍵を開けると、僕がいた。

「本当にごめんなさい。でも、あたし、自分が閉じ込めたって、ちゃんと謝ったよね」

「ごめん、聴こえてなかったんだ。でも、島本のせいじゃない」

島本を責めることではない。僕が誰も信用しようとせず、真実を確認しようともせず、耳を、心を閉ざしてしまったのだ。三秒遅れの自分を一番待てなかったのは、僕自身だったのではないか。自分の気持ちを伝える努力もせず、気持ちを理解してもらえないのは、僕の耳のことに気付かない相手のせいなのだと、他人ばかり責めていたことに、今、ようやく気がついた。


電車がガタンと揺れた。エンジンを起動させる音が車体を細かく震わせる。眠りこけていた女子高生たちがパチリと目を開けた。

「動くのかな」

島本が車内を見回しながら言った。

車内アナウンスが流れ、運転が再開することが告げられた。

「連絡入れなきゃ。長井くんは……、どうする?」

目的のものを手に入れることができないのに――。

「行くに決まってるじゃないか」

僕の思考を断つように浩太が言った。なあ、と両肩に力強く手をかけられる。勢いに負けて、つい頷いてしまった。

「じゃあ、メール送っとくね」

島本が携帯電話を開いた。ボタンを押す手を遮ろうとは思わない。

「優介の家庭教師って、緑川先生だったよな」思い出したように、浩太が言った。

「そうだけど」

「緑川先生も中学の教師をしているんだ。学校は違うけど、このあいだイベントで一緒になって、同窓会に優介が来ることを話したら、会いに行こうかって言ってたぞ」

「緑川先生が来るのか？」

「おまえに確認してから、メールくれってさ。いいよな」

頷くと、浩太が携帯電話を取り出した。緑川先生は僕が青酸カリを手に入れるために戻ってきたと知ったら、どんな顔をするだろうか。もう一度欲しいと頼んだら、またもらえるだろうか……。

島本の携帯電話が鳴った。

「タイムカプセルは全員揃ってから出すことにして、先に宴会始めてるって。だけど、長井くんはなんであんなものを入れたの？」

「中を開けたのか？」

「うん。手紙が入ってるかもしれないと思って」

「何が入ってたんだ？」

携帯電話を閉じながら浩太が訊ねる。僕は返事をせずに唇をかみしめた。

「お砂糖だよね。氷砂糖をくだいたようなの」島本がさらりと答えた。

「珍しい石とか、薬品じゃなくて？」

「だって、矢部が舐《な》めてからそう言ったんだもん」

「舐めたって？」

声を張り上げてしまった。目の前に火花が散ったような気がする。

「ごめん。やめとけって言ったんだけど」

「矢部は？」

「今日の幹事だけど、責めないでやって。アリが来ると困るからって、捨てたの、あたしだから。矢部は入れておいた方がいいって言ってたのに」

砂糖……。青酸カリなど初めから存在しなかったのだ。なのに、電車は進み、僕はあの町へと向かっている。バカバカしい……。だが、それほど嫌な気はしない。

「なんで、そんなものをタイムカプセルに入れようとしたんだ？」

「緑川先生にもらったお守りだったんだ。砂糖だったなんて、僕も知らなかった。勉強するのに糖分って必要だもんな」

なるほど、と納得したように浩太が頷く。

「長井くんって、おもしろい」

島本が笑い、浩太が、実はそうなんだよ、と二人で作った漫画の話を始めた。当時は上手く描けたと思っていた絵も、それほどたいしたことはないのだろう。しかし、僕はくだらないギャグに笑うはずだ。そして、僕の袋に入っているという『長井優介へ』と書かれた手紙――。

電車の振動に心地よさすら感じてきたのは、タイムカプセルの中に、僕を救ってくれるものがあるとわかったからに違いない。

初出誌「別冊文藝春秋」
「タイムカプセルの八年」二〇一二年七月号
「トシ&シュン」二〇一四年七月号
「下津山縁起」二〇一二年七月号
「長井優介へ」二〇一二年七月号

ＤＴＰ制作　萩原印刷

文春文庫

時《とき》の罠《わな》

定価はカバーに表示してあります

2014年7月10日　第1刷
2016年7月15日　第6刷

著　者　辻村深月《つじむらみづき》・万城目学《まきめまなぶ》・湊《みなと》かなえ・米澤穂信《よねざわほのぶ》
発行者　飯窪成幸
発行所　株式会社　文藝春秋

東京都千代田区紀尾井町3-23　〒102-8008
TEL　03・3265・1211
文藝春秋ホームページ　http://www.bunshun.co.jp

落丁、乱丁本は、お手数ですが小社製作部宛お送り下さい。送料小社負担でお取替致します。

印刷・凸版印刷　製本・加藤製本
Printed in Japan
ISBN978-4-16-790146-2

文春文庫　最新刊

死神の浮力　伊坂幸太郎
〝死神〟の千葉は、娘を殺された作家と犯人を追う。シリーズ百万部突破

山桜記　葉室麟
細川ガラシャの息子が妻を守りぬく話など夫婦愛を描く歴史小説七篇

漁師の愛人　森絵都
漁師と愛人は日本海で暮す。女は「ずるい男」と知りながら別れられない

再会　あくじゃれ瓢六捕物帖　諸田玲子
大切な人を次々失った瓢六。それでも相棒と〝天保の改革〟に立ち向かう

老いの入舞い　麹町常楽庵　月並の記　松井今朝子
新人同心・間宮仁八郎と謎の庵主・志乃のコンビが怪事件に挑む

孫六兼元　酔いどれ小籐次（五）決定版　佐伯泰英
芝神明で起きた無惨な陰間殺し。小籐次は事件解決の助力を請われる

問いのない答え　長嶋有
震災後に小説家・ネムオがツイッターで始めたことは。優しく切ない長篇

ストロボ　真保裕一
写真を手に人生を振り返るカメラマンの胸に去来するものとは。名作復刊

夜明けの雷鳴　医師　高松凌雲〈新装版〉　吉村昭
医療は平等なり。幕末維新を生きた近代医療の父・高松凌雲の高潔な生涯

杖ことば　五木寛之
辛い時、手となり足となり支えてくれる「杖」のような先人の言葉を紹介

嘘みたいな本当の話　みどり　内田樹　高橋源一郎　選
日本中から集まった奇想天外な実話集第二弾。今回は著名人の体験も収録

読書脳　ぼくの深読み300冊の記録　立花隆
電子化により「本を読むこと」はどう変わるのか？　書評連載六年分ほか

もうすぐ100歳、前向き。　豊かに暮らす生活術　吉沢久子
九十八歳にして現役で活躍。日々生き生き暮らすコツを読者に伝授

刑務所わず。　塀の中では言えないホントの話　堀江貴文
刑務所実況中継『刑務所なう。』に続くこの本で、刑期満了後の本音を語る

小泉官邸秘録　総理とは何か　飯島勲
多くの改革を成し遂げた小泉内閣。首席総理秘書官による生彩に富む回想

一〇〇年前の女の子　船曳由美
明治末期に生れ、百年を母恋いと故郷への想いで生きた女性の一代記

糖尿病S氏の豊かな食卓　坂本素行
糖尿病でも食事はまともに食べたい。陶芸家がくふうしたおいしいレシピ

ジョイランド　スティーヴン・キング　土屋晃訳
遊園地で働く大学生のぼく。幽霊屋敷に出没する殺人鬼の正体に気づいた